T4-BAH-727

UEBERREUTER KLASSIKER

Robert L. Stevenson

DIE SCHATZINSEL

UEBERREUTER

Das säurefreie und alterungsbeständige Papier EOS liefert Salzer, St. Pölten
(hergestellt aus chlorfrei gebleichtem Zellstoff aus nachhaltiger Forstwirtschaft).

ISBN 978-3-8000-5520-3
Alle Rechte vorbehalten. Das Werk darf – auch teilweise –
nur mit Genehmigung des Verlages wiedergegeben werden.
Covergestaltung: Martin Gubo
Coverillustration: Marek Zawadzki
Text bearbeitet und gekürzt vom Verlag Carl Ueberreuter
Copyright © 2001, 2010 by Verlag Carl Ueberreuter, Wien
Gedruckt in Österreich
7 6 5 4 3 2 1

Ueberreuter im Internet: www.ueberreuter.at

INHALT

ERSTES BUCH

DER ALTE SEERÄUBER

1

MEINE BEGLEITER auf jener denkwürdigen Reise haben mich gebeten, die Geschichte der Schatzinsel vom Anfang bis zum Ende niederzuschreiben und nichts zu verschweigen als die geografische Lage der Insel, weil noch immer ungehobene Schätze dort vergraben liegen. Ich greife daher zur Feder und beginne mit jener Zeit, als mein Vater noch das Wirtshaus »Admiral Benbow« besaß und der alte, sonnenverbrannte Seemann mit der Säbelhiebnarbe sein Quartier unter unserem Dach aufschlug.

Ich erinnere mich seiner, als ob es gestern gewesen wäre. Er kam auf unsere Haustür zugestampft, gefolgt von einem Bedienten, der ihm die Seemannskiste auf einem Handkarren nachschob. Ein hoch gewachsener, unbeholfener Mann, dem der schwarze Matrosenzopf über den schmutzigen blauen Rock herabbaumelte. Seine Hände waren rau und von Narben bedeckt, die Fingernägel schwarz und abgebrochen und quer über seine Wange zog sich schmutzig weiß die Narbe eines Säbelhiebes. Ich sehe ihn noch deutlich vor mir, wie er sich in der Bucht umsah und dabei leise vor sich hin pfiff, bis er schließlich das alte Matrosenlied anstimmte, das er später so oft sang:

»Fünfzehn Mann auf des toten Manns Kiste
Jo-ho-ho und ein Fass voll Rum!«

Seine Stimme war rau und heiser, als wäre sie vom vielen
Vorsingen beim Ankerlichten brüchig geworden. Dann
klopfte er mit seinem Stock, der so ungefüg und groß wie
ein Knüppel war, gegen die Tür und bestellte, als mein
Vater erschien, lärmend ein Glas Rum. Wie ein Ken-
ner trank er es langsam aus, schmatzte mit den Lippen
und betrachtete dabei unausgesetzt die Kreidefelsen am
Strand, dann musterte er unser Wirtshausschild.

»Ein netter kleiner Hafen«, sagte er endlich, »und eine
hübsche Lage für eine Grogschenke. Viele Leute im
Haus, Kumpel?«

Mein Vater musste diese Frage zu seinem Bedauern
verneinen.

»Umso besser!«, fuhr der Seemann fort, »dies hier soll
meine Koje werden. He, du«, rief er seinem Begleiter mit
der Karre zu, »hier angelegt und meine Kiste ausgeladen!
Ich werde da ein bisschen vor Anker gehen«, wandte er
sich wieder an meinen Vater. »Ich bin nur ein einfacher
Mann und brauche weiter nichts zum Leben als Rum,
Eier und Schinken und den Kopf auf meinen Schultern,
um nach Schiffen auszuschauen. Wie Ihr mich nennen
sollt? Meinetwegen Kapitän! Ich weiß schon, worauf Ihr
aus seid – hier!« Und er warf drei oder vier Goldstücke auf
die Schwelle. »Sagt's mir, wenn ich damit fertig bin«, fügte
er hinzu und sah dabei so herrisch aus wie ein Admiral.

Und in der Tat! So schlecht seine Kleidung war und
so roh er sprach, hatte er doch nicht das Aussehen eines

ROBERT L. STEVENSON

gewöhnlichen Matrosen, sondern glich eher einem Steuermann oder einem Schiffsherrn, der Gehorsam verlangt und sofort dreinschlägt, wenn es nicht nach seinem Willen geht. Der Mann, der den Karren geschoben hatte, erzählte uns, die Postkutsche habe gestern den Fremden vor dem Wirtshaus »Royal George« abgesetzt, wo dieser über die Gasthäuser längs der Küste Erkundigungen eingezogen habe. Schließlich hätte er unseres gewählt, weil es ziemlich abgelegen war. Mehr brachten wir über unseren Gast nicht in Erfahrung.

Er war ein sehr schweigsamer Mann. Den ganzen Tag lungerte er am Strand oder auf den Felsen herum, ein Messingfernrohr in der Hand. Abends saß er in der Ecke der Gaststube dicht am Feuer und trank steifen Grog. Sprach man ihn an, so antwortete er meist nicht, blickte nur wütend auf und blies durch die Nase wie ein Nebelhorn, so dass wir und unsere Gäste ihn bald in Ruhe ließen. Jeden Tag, wenn er von seinem Spaziergang zurückkehrte, fragte er, ob Seeleute auf der Straße vorübergekommen wären. Anfangs glaubten wir, er hätte den Wunsch, mit seinesgleichen zu verkehren, sahen aber bald ein, dass er ihnen im Gegenteil aus dem Weg gehen wollte. Hin und wieder kam es vor, dass ein Matrose, der auf dem Landweg nach Bristol unterwegs war, im »Admiral Benbow« einkehrte. Unser seltsamer Gast beäugte ihn erst genau durch den Türvorhang, bevor er in das Zimmer trat, und dann verhielt er sich so still wie eine Maus. Ich war sozusagen Teilhaber seiner Sorgen geworden, denn eines Tages hatte er mich beiseitegenommen und versprochen, mir jeden Monat am Ersten eine Silbermünze zu zahlen, wenn ich nur scharf Ausschau nach einem Seemann mit einem Holzbein halten und es ihm gleich melden würde, sollte dieser in Sicht kommen. Ich hatte gegen einen Verdienst nichts einzuwenden, aber oft genug, wenn der Monatserste kam und ich um meinen Lohn bat, schnaubte er nur wütend durch die Nase und warf mir zornige Blicke zu. Doch kaum war die Woche zu Ende, überlegte er sich die Sache, gab mir meinen Shilling und ermahnte mich, ja nicht den Matrosen mit dem Holzbein zu vergessen.

Wie jener geheimnisvolle Seemann in meinen Träumen herumspukte, brauche ich wohl kaum zu erzählen. In stürmischen Nächten, wenn der Wind das Haus an allen vier Ecken erschütterte und die Brandung brüllend gegen die Felsen schlug, malte sich meine Fantasie den Mann in tausend Gestalten mit tausend teuflischen Gesichtern aus. Bald war das verstümmelte Bein am Knie, bald an der Hüfte abgeschnitten, dann wieder meinte ich eine Art Ungetüm zu sehen. Am schlimmsten war es, wenn ich träumte, dass er mich über Stock und Stein verfolgte. Da mich diese Schreckgespenster unausgesetzt heimsuchten, so verdiente ich mein Gehalt recht sauer. Sosehr mich auch der Gedanke an den einbeinigen Seemann quälte, vor dem Kapitän selbst hatte ich viel weniger Angst als sonst irgendjemand. An manchen Abenden trank er mehr Rum, als er vertragen konnte, und stimmte dann seine gottlosen, alten, wilden Matrosenlieder an, ohne Rücksicht auf die Anwesenden zu nehmen. Zuweilen bestellte er auch eine Runde für die ganze Gesellschaft und die eingeschüchterten Gäste mussten seine Geschichten anhören oder mit ihm im Chor singen. Wie oft dröhnte der

ROBERT L. STEVENSON

Kehrreim »Jo-ho-ho und ein Fass voll Rum« durch die Gaststube, dass das ganze Haus in seinen Fugen zu zittern schien, da die Nachbarn in ihrer Angst einer lauter als der andere sangen, um nicht seinen Zorn herauszufordern. Hatte er solche Anfälle, war er der unverträglichste Geselle der Welt: Er schlug mit der Faust auf den Tisch und gebot jedermann zu schweigen. Eine geringfügige Frage konnte ihn in höchste Wut versetzen, ein anderes Mal aber empörte es ihn, wenn keiner fragte, weil er dann annahm, dass sie ihm nicht gebührend Aufmerksamkeit schenkten.

Am meisten gruselte es den Leuten jedoch vor seinen Geschichten. Es waren schreckliche Geschichten, von Raub, Mord, von Aufhängen und Spießrutenlaufen, von Seestürmen, von der Insel Tortugas und wilden Taten in den spanischen Gewässern. Nach seinen Erzählungen zu schließen, musste er sein Leben unter den erbärmlichsten Männern zugebracht haben, die Gott je auf See geduldet hat. Die Sprache, in der er diese Geschichten erzählte, entsetzte unsere einfachen Landleute fast ebenso sehr wie die von ihm beschriebenen Verbrechen. Mein Vater sagte immer, dieser Mensch werde unsere Wirtschaft noch total ruinieren. Den Gästen würde es auf die Dauer nicht gefallen, sich derart tyrannisieren zu lassen und nachher aus Angst vor den Geschichten nicht einschlafen zu können. Ich glaube aber, dass sein Aufenthalt bei uns gerade das Gegenteil bewirkte. Am Anfang war es den Leuten unheimlich, nach und nach gewannen sie aber dieser Art von Unterhaltung einen gewissen Reiz ab. Sie bot ihnen in ihrem einförmigen Landleben eine willkommene Abwechslung. Einige junge Leute sprachen sogar offen ihre Bewunderung aus, nannten ihn einen richtigen alten Seebären und behaupteten, das sei die Art Männer, die England zu einer gefürchteten Seemacht gemacht hätten.

In einer Hinsicht aber war er wirklich auf dem besten Weg, uns zu ruinieren. Er blieb Woche für Woche und schließlich Monat für Monat bei uns und längst war alles Geld verbraucht, das er damals bei seinem Kommen auf die Schwelle geworfen hatte. Mein Vater fand nicht den Mut, mehr von ihm zu verlangen. Kam er je darauf zu sprechen, so schnaubte der Kapitän laut durch die Nase und trieb meinen Vater mit wütenden Blicken aus dem Zimmer. Ich habe meinen armen Vater nach einem solchen Auftritt verzweifelt die Hände ringen sehen und ich bin überzeugt, dass der Ärger und die stetige Angst sehr zu seinem frühen Ende beigetragen haben. Während der ganzen Zeit, die der Kapitän bei uns wohnte, wechselte er nie die Kleidung und nur ein einziges Mal kaufte er einem Hausierer Strümpfe ab. Ich erinnere mich noch deutlich, wie sein Rock aussah, den er oben in seinem Zimmer selbst flickte und der zu guter Letzt nur noch eine einzige Sammlung von Flicken war. Niemals schrieb oder empfing er einen Brief, sprach auch mit niemandem außer den Nachbarn, und mit den meisten nur dann, wenn er betrunken war. Die große Seekiste sah niemand von uns je offen.

Nur ein einziges Mal stieß er auf Widerstand und das geschah, als mein Vater sehr krank geworden war. Doktor Livesey kam eines Nachmittags noch ziemlich spät, um nach seinem Patienten zu sehen. Nach einer bescheidenen Mahlzeit ging der Doktor dann in die Gaststube und rauchte eine Pfeife. Ich folgte ihm und erinnere mich noch deutlich an den Gegensatz zwischen dem sauber und sorgfältig gekleideten Doktor mit seiner schneeweißen Perücke, seinen lebhaften schwarzen Augen, seinem gefälligen Wesen und den unbeholfenen Bauern, ganz besonders aber an den Kontrast zu jener schmutzigen, verkommenen Vogelscheuche von einem Piraten, der sich schon in einem ziemlich vorgerückten Stadium der Trunkenheit befand. Plötzlich begann der Kapitän sein Lieblingslied zu grölen.

»Fünfzehn Mann auf des toten Manns Kiste
Jo-ho-ho und ein Fass voll Rum!
Schnaps und Teufel holten die andern
Jo-ho-ho und ein Fass voll Rum!«

Zuerst hatte ich geglaubt, die große Kiste, die der Kapitän oben in seinem Zimmer stehen hatte, sei die Kiste des Toten aus dem Lied, ein Gedanke, der mich in meinen Träumen nicht weniger beunruhigte als der an den Seefahrer mit dem Holzbein. Jetzt hatten wir uns alle schon längst an das Lied gewöhnt und achteten nicht sonderlich darauf. An jenem Abend war es nur Doktor Livesey neu, auf den es, wie ich bemerkte, keine angenehme Wirkung ausübte. Er blickte einen Augenblick ärgerlich auf, sah den Betrunkenen an und setzte dann seine Unterhaltung mit dem alten Gärtner Taylor über eine neue Rheumatismuskur fort. Mittlerweile geriet der Kapitän über sein Lied in immer größere Erregung, er schlug mit der Hand auf den Tisch und gebot damit, wie uns allen bekannt war,

Schweigen. Es wurde auch sofort ganz still, nur Doktor Liveseys Stimme war noch vernehmbar, der ruhig weitersprach und zwischen jedem zweiten Wort einen kräftigen Zug aus seiner Pfeife tat. Der Kapitän starrte ihn eine Weile an, schlug wieder auf den Tisch und brach endlich mit einem hässlichen Fluch in die Worte aus: »Ruhe dort zwischen den Decks!«

»Sprecht Ihr zu mir, Mann?«, fragte der Doktor, und als der Kapitän mit einem zweiten Fluch bejahte, fuhr er fort: »Ich habe Euch nur eines zu sagen: Wenn Ihr weiterhin so viel Rum trinkt, wird es bald einen schmutzigen Halunken weniger auf der Welt geben.«

Die Wut des alten Burschen war furchtbar. Er sprang auf, holte ein Seemannsmesser aus seiner Tasche, klappte es auf und drohte den Doktor damit an die Wand zu spießen.

Doktor Livesey verzog keine Miene. Er drehte sich nur ein wenig um und sprach wie zuvor mit derselben ruhigen Stimme, aber so laut, dass ihn jeder der Anwesenden hören konnte:

»Wenn Ihr das Messer nicht in diesem Augenblick wieder in die Tasche steckt, so verspreche ich Euch, bei meiner Ehre, dass Ihr am nächsten Gerichtstag an den Galgen kommt.«

Dann maßen sie einander eine Zeit lang schweigend, der Kapitän senkte jedoch bald seinen Blick, steckte die Waffe wieder ein und setzte sich wie ein geschlagener Hund auf seinen Stuhl.

»Und jetzt«, fuhr der Doktor fort, »da ich weiß, dass es einen solchen Burschen in meinem Bezirk gibt, können

Sie überzeugt sein, dass ich Sie Tag und Nacht nicht aus den Augen lassen werde. Ich bin nicht allein Arzt, sondern auch Richter; und wenn ich nur die geringste Klage gegen Sie vernehme, sei es auch wegen einer Flegelei, wie die von heute Abend, so werde ich wirksame Mittel ergreifen, um Sie unschädlich zu machen und von hier fortzubringen. Lassen Sie sich das gesagt sein.«

Bald darauf wurde das Pferd des Doktors vor die Tür geführt und er ritt fort. Der Kapitän ließ sich an jenem und an vielen anderen Abenden keine Ruhestörung mehr zuschulden kommen.

2

Nicht lange darauf trug sich das erste der geheimnisvollen Ereignisse zu, die uns zu guter Letzt von dem Kapitän, wenn auch nicht von seiner Hinterlassenschaft befreiten. Es war ein bitterkalter Winter mit lang anhaltendem Frost und schweren Stürmen und es schien mehr als fraglich, ob mein armer Vater noch den Frühling erleben würde. Seine Kräfte nahmen täglich mehr ab, und da meine Mutter und ich schließlich die ganze Wirtschaft allein zu besorgen hatten, blieb uns wenig Zeit, uns viel um unseren unangenehmen Gast zu kümmern.

Es war früh an einem Januarmorgen. Raureif bedeckte die Küste, das Wasser schlug sanft gegen die Felsen, die Sonne stand noch sehr niedrig und berührte gerade erst die Bergspitzen. Der Kapitän war früher als gewöhnlich aufgestanden und schlenderte zum Strand, seinen Säbel an der Seite, sein Fernrohr unter dem Arm, den Hut mit der herunterhängenden Krempe auf dem Kopf. Wie eine weiße Rauchwolke hüllte ihn sein Atem ein und das Letzte, was ich von ihm hörte, als er um den großen Felsen bog, war ein lautes, unwilliges Schnaufen.

Die Mutter war oben bei meinem Vater und ich deckte gerade den Frühstückstisch für den Kapitän, als die Gaststubentür aufging und ein Mann hereintrat, den ich nie zuvor gesehen hatte. Er war ein blasser, aufgedunsener Mensch, dem zwei Finger an der linken Hand fehlten. Obwohl er einen Säbel trug, sah er nicht besonders kriegerisch aus. Ich hatte mir angewöhnt, immer nach Seeleuten Ausschau zu halten, einerlei, ob ein- oder zweibeinig, und ich erinnere mich, dass mich diese Erscheinung befremdete. Der Mann war kein Matrose und hatte trotzdem etwas wie Salzwassergeruch an sich.

Auf meine Frage, was er wünsche, antwortete er nur, er wolle ein Glas Rum trinken. Als ich das Bestellte holen wollte, winkte er mich zu sich heran. Ich blieb aber, wo ich war, mit meiner Serviette in der Hand, stehen.

»Nur näher, Söhnchen«, sagte er, »nur näher.«

Ich trat einen Schritt näher.

»Ist der Tisch hier für meinen Kameraden Bill gedeckt?«, fragte er mit einem gehässigen Seitenblick.

Ich kenne seinen Bill nicht, gab ich ihm zur Antwort. Der Tisch sei für eine Person gedeckt, die in unserem Hause wohne und sich Kapitän nennen lasse.

»Stimmt«, sagte er, »mein Kamerad Bill hat es gern, wenn man ihn Kapitän nennt. Er hat eine Narbe auf der einen Wange und ist im Umgang mächtig unangenehm, besonders wenn er etwas über den Durst getrunken hat. Ich kann ihn noch genauer beschreiben und füge hinzu, dass die Narbe auf seiner rechten Wange ist. Habe ich recht? Ich frage darum also noch einmal: Ist mein Kamerad Bill hier in diesem Hause?«

Ich entgegnete ihm, dass er spazieren gegangen sei.

»In welcher Richtung, mein Söhnchen?«

Als ich ihm den Felsen gezeigt und ihm erklärt hatte, auf welchem Weg und wann der Kapitän zurückkehren werde, sagte er nur: »Wie wird sich mein Kamerad Bill freuen, wenn er mich hier sieht!«

Der Ausdruck seines Gesichtes war bei diesen Worten keineswegs angenehm und ich bezweifelte diese Behauptung im Geheimen. Die Sache ging mich aber nichts an und ich wusste wirklich nicht, wie ich mich verhalten sollte. Der Fremde hielt sich fortwährend in der Nähe der Haustür auf und lugte gelegentlich um die Ecke einer Katze gleich, die einer Maus auflauert. Einmal trat ich selbst auf die Straße hinaus, aber er rief mich sofort zurück, und als ich ihm nicht schnell genug gehorchte, erschien ein bösartiger Ausdruck in seinem gedunsenen Gesicht. Er wiederholte seinen Befehl mit einem Fluch, der mir Beine machte. Kaum war ich wieder im Haus, nahm er sein früheres, halb schmeichelndes, halb spöttisches Wesen an, klopfte mir auf die Schulter und sagte, ich sei ein netter Junge, den er gut leiden könne. »Ich habe selbst einen Sohn, der dir so ähnlich sieht wie ein Schiffsblock dem anderen. Er ist der ganze Stolz meines Herzens. Die Hauptsache für euch Jungen ist jedoch die Disziplin, mein Söhnchen – die Disziplin. Wärest du mit

Bill auf einem Schiff gesegelt, so würdest du schon Gehorsam gelernt haben. Denn Ungehorsam oder Nachlässigkeit hat weder Bill je geduldet noch einer der anderen, die mit ihm segelten. Und hier, da gibt's keinen Zweifel, kommt mein Kamerad Bill mit einem Fernrohr unter dem Arm, die gute alte Seele! Nun schnell zurück in die Stube, Söhnchen, und hinter die Tür. Wir wollen Bill ein wenig überraschen.«

Mit diesen Worten zog mich der Fremde in die Gaststube zurück und stellte mich hinter sich in die Ecke, sodass die Tür uns beide verbarg. Mir war dabei nicht wohl zumute, wie man sich denken kann. Meine Unruhe wuchs noch, als ich bemerkte, dass auch der Fremde sich fürchtete. Er griff nach seinem Säbel, lockerte die Klinge in der Scheide und räusperte sich dabei die ganze Zeit, als steckte ihm etwas in der Kehle.

Endlich kam der Kapitän herein, warf die Tür hinter sich zu und marschierte, ohne nach rechts oder links zu blicken, quer durch das Zimmer zu dem für ihn gedeckten Frühstückstisch.

»Bill«, sagte da der Fremde mit einer Stimme, die stark und mutig klingen sollte.

Der Kapitän fuhr jäh herum und starrte uns an. Die braune Farbe war aus seinem Gesicht geschwunden und selbst seine Nase erschien grau. Er sah aus wie jemand, der ein Gespenst oder den Teufel oder etwas noch Schlimmeres erblickt. Der Mann tat mir wirklich leid, in einem einzigen Augenblick war er alt und hinfällig geworden.

»Nun, Bill, kennst du mich nicht? Kennst du deinen alten Kumpel nicht mehr, Bill?«, sagte der Fremde.

Der Kapitän atmete schwer.

»Schwarzer Hund!«

»Wer denn sonst?«, entgegnete der andere, sichtlich erleichtert. »Der Schwarze Hund ist in eigener Person gekommen, um seinen alten Freund Billy im Wirtshaus ›Admiral Benbow‹ zu besuchen. Ach, Bill, Bill! Wir haben schöne Dinge miteinander erlebt, seitdem ich den einen Enterhaken verloren habe«, und er hielt seine verstümmelte Hand in die Höhe.

»Genug davon«, fuhr der Kapitän dazwischen, »du hast mich gefunden, hier bin ich. Jetzt sag mir, was du von mir willst.«

»Du bist noch ganz der alte Bill«, antwortete der Schwarze Hund. »Dieses liebe Kind hier, an dem ich einen Narren gefressen habe, soll mir erst ein Glas Rum besorgen. Dann wollen wir uns niedersetzen und einmal offen und ehrlich wie alte Schiffskameraden miteinander sprechen.«

Als ich mit dem Rum zurückkehrte, hatten sie bereits Platz genommen – der Kapitän auf der einen und der Schwarze Hund auf der anderen, der Tür zugekehrten Seite des Frühstückstisches, wobei er den Kapitän im Auge behielt und sich gleichzeitig, wie mir schien, den Rückzug offen hielt.

Er befahl mir zu gehen, aber die Tür weit offen zu lassen. »Für mich gibt es keine Horcher an den Schlüssellöchern, mein Söhnchen«, sagte er. Ich ließ sie allein und trat hinter den Schanktisch.

Obwohl ich in sicherer Entfernung so angestrengt wie nur möglich lauschte, konnte ich lange Zeit nichts als ein leises Flüstern vernehmen. Endlich wurden die Stimmen lauter und ich konnte ab und zu einige Worte verstehen, meistens haarsträubende Flüche des Kapitäns.

»Nein, nein, nein und abermals nein, ich will nichts davon wissen!«, schrie er einmal und wiederum: »Wenn jemand gehängt wird, sollen alle hängen, sage ich!«

Dann folgte plötzlich ein schrecklicher Ausbruch von Flüchen. Stühle und Tische wurden übereinandergeworfen, Stahl klang gegen Stahl und ich hörte einen lauten Schmerzensschrei. Im nächsten Augenblick sah ich den Schwarzen Hund in voller Flucht, wütend verfolgt von dem Kapitän. Beide hatten ihre Säbel gezogen und der Schwarze Hund blutete heftig an der linken Schulter. Vor der Tür holte der Kapitän noch zu einem furchtbaren Hieb aus, der den Flüchtling sicherlich von oben bis unten gespalten hätte, wenn der Säbel nicht von unserem großen Wirtshausschild aufgefangen worden wäre. Die Kerbe ist bis auf den heutigen Tag noch an dem Schild zu sehen.

Der Kampf endete mit diesem Hieb. Einmal auf der Straße, entwickelte der Schwarze Hund trotz seiner Wunde eine unglaubliche Geschwindigkeit und in der nächsten Minute war er hinter dem Hügel verschwunden. Der Kapitän starrte wie betäubt das Wirtshausschild an, fuhr sich ein paar Mal mit der Hand über die Augen und ging endlich ins Haus zurück.

»Jim«, sagte er, »Rum.« Er taumelte beim Sprechen und klammerte sich mit einer Hand an der Wand fest.

»Sind Sie verletzt?«, rief ich.

»Rum!«, wiederholte er. »Ich muss machen, dass ich von hier fortkomme. Rum! Rum!«

Ich eilte fort, war aber über das, was ich erlebt hatte, so erregt, dass ich zuerst das Glas zerbrach und dann nicht sofort den Hahn am Fass fand. Während ich mich noch plagte, hörte ich aus der Gaststube ein lautes Poltern. Ich stürzte hinein. Der Kapitän lag regungslos auf dem Fußboden. In diesem Augenblick eilte auch meine Mutter, über das Geschrei und den Lärm beunruhigt, die Treppe herunter, um mir zu helfen. Gemeinsam hoben wir seinen Kopf. Er atmete laut und schwer, die Augen waren geschlossen und das Gesicht hatte eine schaurige Farbe.

»Du lieber Gott, du lieber Gott!«, schrie meine Mutter, »welche Schande für unser Haus! Und dein armer Vater liegt oben todkrank im Bett!«

Wir wussten nicht, wie wir dem Kapitän helfen sollten, und glaubten fest, dass er im Handgemenge mit dem Fremden eine tödliche Wunde davongetragen habe. Ich holte den Rum herbei und bemühte mich, ihn in seinen Hals zu gießen. Seine Zähne waren aber krampfhaft aufeinandergebissen und seine Kinnladen fest wie Eisen. Es war eine wahre Erlösung, als die Tür aufging und Doktor Livesey eintrat, der meinen Vater besuchen wollte.

»Oh, Herr Doktor«, riefen wir aus, »was sollen wir nur tun? Wo ist er verwundet?«

»Verwundet? Keine Spur davon!«, sagte der Doktor. »Er ist nicht mehr verwundet als Sie oder ich. Der Mann hat einen Schlaganfall erlitten, wie ich es ihm vorhersagte. Mrs Hawkins, gehen Sie nach oben zu Ihrem Mann, und wenn es möglich ist, erzählen Sie ihm nichts von der ganzen Geschichte. Ich selbst werde mein Bestes versuchen, um das dreifach unnütze Leben dieses Burschen zu retten. Hol mir ein Wasserbecken, Jim!«

Als ich mit dem Wasserbecken zurückkehrte, hatte der Doktor schon den Ärmel das Kapitäns aufgeschnitten und den starken, sehnigen Arm bloßgelegt. Er war an verschiedenen Stellen tätowiert: »Glückliche Fahrt«, »Ein guter Wind«, »Billy Bones' Liebste« waren sauber und deutlich auf dem Unterarm zu lesen. Weiter oben, nahe der Schulter, befand sich die Skizze eines Galgens, an dem ein Mann baumelte; wie mir vorkam, war diese Tätowierung mit besonderer Liebe entworfen.

»Prophetisch«, sagte der Doktor und berührte das Bild mit dem Finger. »Und nun, Mister Billy Bones, wenn das Ihr Name ist, wollen wir uns einmal von der Farbe Ihres Blutes überzeugen. Jim«, wandte er sich an mich, »fürchtest du dich vor Blut?«

»Nein, Doktor«, entgegnete ich.

»Schön«, sagte er, »dann kannst du das Waschbecken halten«, und damit ergriff er seine Lanzette und öffnete eine Ader.

Viel Blut wurde dem Kapitän abgezapft, bevor er die Augen öffnete und verstört um sich blickte. Zuerst erkannte er den Doktor und verzog wütend das Gesicht. Als sein Blick aber auf mich fiel, atmete er wieder erleichtert auf. Plötzlich veränderte sich jedoch seine Gesichtsfarbe, er versuchte aufzustehen und rief: »Wo ist der Schwarze Hund?«

»Es ist kein schwarzer Hund hier«, sagte der Doktor, »außer der, den Sie auf Ihrem eigenen Rücken tragen. Sie haben zu viel Rum getrunken und einen Schlaganfall ge-

ROBERT L. STEVENSON

habt, wie ich es Ihnen vorausgesagt habe. Ich habe Sie sehr gegen meinen Willen mit dem Kopf zuerst aus dem Grab herausgezogen. Und nun, Mister Bones –«

»So heiße ich nicht«, unterbrach ihn der Kapitän.

»Ist mir einerlei«, entgegnete der Doktor. »Es ist der Name eines Freibeuters und ich nenne Sie der Kürze wegen so. Und dies möchte ich Ihnen sagen: Ein Glas Rum wird Sie nicht umbringen. Sie werden aber nicht bei einem bleiben, sondern immer noch eines und noch eines nehmen wollen. Ich setze meine Perücke zum Pfand: Sie sind bald ein toter Mann, wenn Sie nicht das Rumtrinken ganz einstellen – verstehen Sie mich? Sterben und in die Grube fahren, wie der Mann in der Bibel. Nehmen Sie sich jetzt zusammen, ich werde Ihnen dieses eine Mal wenigstens ins Bett helfen.«

Mit vereinten Kräften, wenn auch nicht ohne große Mühe, brachten wir ihn die Treppe hinauf und in sein Bett, wo er in die Kissen fiel, als wäre er ohnmächtig geworden.

»Also noch einmal, aufgepasst!«, mahnte der Doktor, »ich weiß jetzt mein Gewissen rein – Rum bedeutet für Sie Tod.«

Nach diesen Worten nahm mich der Doktor am Arm und zog mich aus dem Zimmer.

»Dieser Anfall war nicht schlimm«, sagte er, sobald er die Tür geschlossen hatte. »Ich habe ihm genug Blut abgelassen, um ihn eine Weile ruhig zu halten. Eine Woche sollte er das Bett hüten, das wäre das Beste für ihn. Einen zweiten Schlaganfall wird er nicht mehr überstehen.«

Gegen Mittag ging ich mit einigen kühlen Getränken und beruhigenden Arzneimitteln in das Zimmer des Kapitäns. Er lag noch beinahe so, wie wir ihn verlassen hatten, und er schien mir schwach, aber hochgradig erregt.

»Jim«, sagte er, »du bist der Einzige hier, der noch etwas taugt, und du weißt, dass ich immer gut zu dir gewesen bin. Kein Monat ist vergangen, in dem ich dir nicht eine Silbermünze gegeben habe. Und nun, Freund, siehst du, geht es mir nicht zum Besten, da mich alle verlassen haben. Nicht wahr, Jim, du bist ein guter Junge, du wirst mir eine Flasche Rum bringen?«

»Der Doktor –«, begann ich.

Er unterbrach mich und verwünschte den Doktor, wenn auch nur mit schwacher Stimme.

»Doktoren sind nichts als elende Esel«, sagte er. »Was weiß dieser Doktor von alten Seefahrern? Ich bin in Gegenden gewesen, die so heiß wie siedendes Pech waren, wo meine Schiffskameraden wie die Fliegen starben, wenn sie das gelbe Fieber erwischte, habe Land und Meer von Erdbeben zittern gesehen – was weiß dein Doktor von solchen Ländern – und die ganze Zeit habe ich von Rum gelebt, sage ich dir. Der Rum war mir Essen und Trinken, Freund und Liebste. Ohne ihn bin ich ein armes altes Wrack auf einer Leeküste. Mein Blut wird über dich kommen, Jim, und über diesen Esel von einem Doktor.« Aufs Neue stieß er eine Reihe von Verwünschungen aus. »Sieh doch, Jim«, fuhr er in bittendem Ton fort, »wie meine Finger zittern, ich kann sie nicht still halten, ich habe an diesem Tag noch keinen Tropfen Rum genossen. Der Doktor ist ein Narr, das sage ich dir. Wenn ich nicht sofort ein Glas Rum bekomme, so werde ich verrückt, schon jetzt sehe ich Gespenster. Dort in der Ecke hinter dir ist der alte Flint: Wenn der Anfall über mich kommt, oh Jim – ich bin ein Mann, der ein schlimmes Leben geführt hat, und ich werde Kain heraufbeschwören. Dein Doktor selbst sagte, ein Glas würde mir nicht schaden. Ich gebe dir eine goldene Guinee für eine Flasche, Jim.«

Er wurde immer aufgeregter und ich bekam Angst, mein Vater würde ihn hören. Mein Vater war an diesem Tag sehr schwach und brauchte Ruhe. Ich erinnerte mich auch der Worte des Doktors, ärgerte mich aber über das Angebot einer so hohen Belohnung.

»Ich will nichts von Ihrem Geld haben«, sagte ich, »zahlen Sie lieber das Geld, das Sie meinem Vater schuldig sind. Ich werde Ihnen ein Glas Rum besorgen und nicht mehr.«

Als ich es ihm brachte, ergriff er es gierig und trank es in einem Zug aus.

»Ja, ja«, sagte er, »jetzt ist mir schon besser, ganz bestimmt ist mir schon besser. Und nun, Freundchen, hat dir der Doktor gesagt, wie lange ich hier in dieser alten Koje liegen bleiben soll?«

»Mindestens eine Woche«, entgegnete ich.

»Verdammt«, rief er aus, »eine Woche! Das geht nicht. Bis dahin hätte ich den schwarzen Brief von ihnen. Die Halunken sind in diesem Augenblick schon dabei, mir einen Strick zu drehen – Halunken, die ihre Beute nicht zusammenhalten konnten und jetzt das Eigentum eines andern plündern wollen. Ist das Seemannsart, so frage ich? Ich war von jeher sparsam, habe nie mein gutes Geld verschwendet oder verloren und ich will ihnen noch einmal eine Nase drehen. Ich fürchte mich nicht vor ihnen.«

Während dieser Worte versuchte er schwerfällig aufzustehen und klammerte sich dabei mit einem eisernen Griff, der mir fast einen Schmerzensschrei entlockte, an meine Schulter. Seine Beine waren aber wie leblos und tot. So unbekümmert seine Worte auch gemeint waren, so standen sie doch in einem trübseligen Gegensatz zu der schwachen Stimme, mit der er sie hervorstieß. Kraftlos setzte er sich auf den Bettrand.

»Der Doktor hat mich übel zugerichtet«, murmelte er. »Es braust in meinen Ohren. Ich lege mich wieder hin.«

Ehe ich ihm noch behilflich sein konnte, war er schon auf seinen früheren Platz zurückgefallen und blieb eine Weile stumm liegen. »Jim«, sagte er endlich, »du hast heute den Seemann gesehen?«

»Den Schwarzen Hund?«, fragte ich.

»Ja, den Schwarzen Hund«, antwortete er. »Das ist ein schlechter Kerl, es gibt aber noch schlimmere, die ihn anstifteten, hierherzukommen. Nun höre, wenn ich von hier nicht wegkann und sie mir den schwarzen Brief zustellen, so musst du wissen, dass es meine alte Seekiste ist, auf die sie es abgesehen haben. Du steigst dann auf ein Pferd – nicht wahr, du kannst reiten? –, du steigst auf ein Pferd und reitest zu jenem unausstehlichen Prahlhans von Doktor und ersuchst ihn, alle Magistratspersonen und Beamte an Deck zu pfeifen, denn er könne im ›Admiral Benbow‹ die ganze Mannschaft vom alten Flint, Alt und Jung, soweit sie noch am Leben geblieben ist, ausheben. Ich war Erster Maat beim alten Flint und bin der Einzige, der den Platz kennt. Er weihte mich in Savannah in das Geheimnis ein, als er im Sterben lag. Du wirst aber nichts verraten, solange sie mir nicht den schwarzen Brief zustellen oder solange du nicht den Schwarzen Hund wiedersiehst oder den anderen Seemann, der ein Holzbein hat.«

»Was hat es mit dem schwarzen Brief auf sich, Kapitän?«, fragte ich.

»Das ist ein Drohbrief, Freund. Ich werde dir mehr erzählen, wenn ich ihn bekomme. Halte nur die Augen offen, Jim, und ich werde mit dir teilen.«

Er fantasierte noch eine Weile, aber seine Stimme wurde immer schwächer. Ich gab ihm seine Medizin, die er wie ein Kind einnahm und dabei lallte: »Wenn jemals ein Seemann solche Höllenmedizin nötig hatte, so bin ich es«, dann fiel er in einen schweren, einer Ohnmacht ähnlichen Schlaf.

Ich weiß nicht, was ich getan hätte, wenn alles gut abgelaufen wäre; wahrscheinlich hätte ich die ganze Geschichte dem Doktor erzählt. Ich hatte eine Todesangst davor, dass der Kapitän seine Offenherzigkeit bereuen und mich töten würde. An jenem Abend starb aber ganz plötzlich mein armer Vater und dieses traurige Ereignis drängte alles andere in den Hintergrund. Unser Kummer, die Besuche der Nachbarn, die Vorbereitungen zum Begräbnis und dazwischen die Arbeit in der Gastwirtschaft, all das ließ mir keine Zeit, an den Kapitän zu denken, geschweige denn, mich vor ihm zu fürchten. Er humpelte schon am nächsten Morgen wieder die Treppe herunter und nahm seine Mahlzeiten wie gewöhnlich ein. Er aß wenig, trank aber dafür mehr Rum als sonst, den er sich selbst hinter dem Schanktisch hervorholte. Dabei fauchte er so wütend, dass niemand ihm entgegenzutreten wagte. In der Nacht vor dem Begräbnis war er wie immer betrunken und, ohne sich um unseren Schmerz zu kümmern, stimmte er in dem Trauerhaus wieder sein altes, hässliches Matrosenlied an. Aber so schwach er auch war, empfanden wir doch alle die größte Furcht vor ihm. Der Doktor konnte uns nicht mehr beistehen, da er zu einem schweren Krankheitsfall viele Meilen weit über Land gerufen worden war und seit meines Vaters Tod unser Haus nicht mehr besucht hatte.

Statt sich zu erholen, schien der Kapitän immer schwächer zu werden. Er kletterte mühsam die Treppe hinauf und hinunter, ging aus dem Gastzimmer hinter den Ausschank und wieder zurück und steckte zuweilen auch seine Nase zur Tür hinaus, um den Salzgeruch der See einzuatmen. Wenn er sich hinauswagte, so hielt er sich an der Hausmauer fest und atmete dabei so schwer und schnell wie jemand, der einen steilen Berg ersteigt. Er ließ sich mit mir in keine vertraulichen Gespräche mehr ein und ich glaubte, dass er seine frühere Erzählung so gut wie vergessen hatte. Er war aber launenhafter und, soweit seine körperliche Schwäche dies zuließ, gewalttätiger denn je. Er sah wirklich gefährlich aus, wenn er, was jetzt häufig geschah, in betrunkenem Zustand seinen Säbel zog und die blanke Klinge vor sich auf den Tisch legte. Bei alledem kümmerte er sich wenig um seine Umgebung, war ganz in Gedanken versunken und schien häufig geistesabwesend zu sein. Seltsam und unbegreiflich mutete es an, als er einmal statt seines dröhnenden Matrosenliedes eine Melodie ganz anderer Art anstimmte, eine Art ländliches Liebeslied, das er wohl in seiner Jugend gelernt hatte, ehe er zur See gegangen war.

Am Tag nach dem Begräbnis meines Vaters, an einem bitterkalten, nebligen Nachmittag, um etwa drei Uhr, stand ich einen Augenblick vor der Tür und dachte traurig an meinen toten Vater. Da sah ich einen Mann langsam auf der Landstraße daherkommen. Er war offenbar blind, er tastete sich mit einem Stock weiter und trug einen großen grünen Schirm über Augen und Nase. Krumm von Alter oder Schwäche schlich er daher und war in einen unförmigen, alten, zerfetzten Seemantel gehüllt, der eine richtige Vogelscheuche aus ihm machte. Nie zuvor in meinem Leben hatte ich einen so abscheulich aussehenden Menschen gesehen. Er hielt kurz vor dem Gasthaus an und rief mit singender, kläglicher Stimme:

»Ein armer blinder Mann, der sein kostbares Augenlicht bei der tapferen Verteidigung seines Heimatlandes England verloren hat – Gott segne unseren guten König George! –, bittet einen edlen Menschenfreund ihm mitzuteilen, wo und in welchem Teil des Landes er sich jetzt befindet.«

»Ihr seid jetzt beim ›Admiral Benbow‹«, sagte ich.

»Ich höre eine Stimme –«, antwortete er, »eine junge Stimme. Willst du mir deine Hand geben, lieber junger Freund, und mich hineinführen?«

Ich streckte meine Hand aus und das unheimliche, sanft sprechende, blicklose Geschöpf umklammerte sie im nächsten Augenblick so fest wie ein Schraubstock. Erschrocken wollte ich sie wieder zurückziehen, der Blinde aber riss mich mit einem einzigen Ruck dicht an sich heran.

»Nun, Junge«, sagte er, »führe mich zum Kapitän.«

»Sir«, entgegnete ich ganz erschrocken, »auf mein Wort, ich wage es wirklich nicht.«

»Oh«, spottete er, »hast du Angst? Führe mich schnell hinein oder ich breche dir den Arm.«

Er drückte meinen Arm so fest, dass ich vor Schmerz laut aufschrie. »Sir«, sagte ich, »ich warne Euch um Eurer selbst willen. Der Kapitän ist nicht derselbe wie früher; er hat jetzt immer eine blanke Säbelklinge in der Hand. Ein anderer Gentleman –«

»Genug jetzt, Junge«, unterbrach er mich, »und vorwärts, marsch!« Nie zuvor hatte ich eine Stimme gehört, die so grausam, kalt und hässlich wie die des Blinden gewesen war. Sie erschreckte mich mehr als seine Misshandlungen und ich gehorchte ihm sofort. »Führ mich geradewegs zu ihm, und sobald er mich sieht, sollst du sagen: ›Bill, hier ist ein Freund von dir!‹ Wenn du nicht gehorchst, dann tu ich das!« Dabei kniff er mich jäh und heftig in den Arm, dass es mir beinahe schwarz vor den Augen wurde. Er löste seinen eisernen Griff nicht, lehnte sich so schwer auf mich, dass ich diese Last kaum zu tragen vermochte. So gingen wir in das Haus. Da ich jetzt vor dem blinden Bettler noch größere Furcht als vor dem Kapitän empfand, öffnete ich die Tür der Gaststube und rief mit zitternder Stimme den kranken, alten Piraten an, der in der Gaststube seinen Rumrausch verschlief.

Der arme Kapitän schlug die Augen auf und ein einziger Blick genügte, um die Geister des Rums zu vertreiben und ihn gänzlich nüchtern zu machen. Sein Gesicht zeigte keinen Schrecken, nur die hoffnungslose Schwäche eines sterbenskranken Menschen. Er versuchte aufzustehen, doch ich sah, dass ihm die Kraft dazu fehlte.

»Sitzen geblieben, Bill, ganz ruhig Blut«, sagte der Bettler. »Wenn ich auch nicht sehen kann, höre ich doch eine Feder zu Boden fallen. Geschäft ist Geschäft. Strecke deine linke Hand aus, Junge, fasse seine linke Hand und halte sie vor meine rechte.«

Beide gehorchten wir ihm und ich sah ihn etwas aus der hohlen Hand, in der er seinen Stock hielt, in die Hand des Kapitäns legen, die sich sofort darüber schloss.

»Und nun bin ich fertig«, sagte der Blinde, ließ mich plötzlich los und schlüpfte mit unglaublicher Schnelligkeit zur Gaststube hinaus und auf die Straße. Starr vor Schrecken stand ich wie angenagelt da und hörte das Tappen seines Stockes allmählich in der Ferne verklingen.

Es dauerte eine ganze Weile, bis der Kapitän und ich wieder unsere fünf Sinne beieinanderhatten. Endlich ließ ich die Hand des Kapitäns los, er öffnete die geschlossene Faust und betrachtete, was ihm der Bettler hinterlassen hatte.

»Zehn Uhr!«, rief er aus. »Sechs Stunden Frist! Also Zeit genug, um ihnen noch einmal eine Nase zu drehen!«

Er sprang auf, taumelte aber bei dieser jähen Bewegung, fuhr sich mit der Hand nach dem Hals, schwankte einen Augenblick hin und her und fiel dann mit einem eigentümlichen Stöhnen der ganzen Länge nach vornüber auf den Boden.

Ich eilte zu ihm und rief meine Mutter herbei. Aber unsere Eile war vergebens, ein zweiter Schlaganfall hatte seinem Leben ein Ende gemacht. Ich hatte den Mann nie geliebt, doch in der letzten Zeit hatte ich angefangen ihn zu bedauern, und als ich ihn tot vor mir liegen sah, brach ich in heftige Tränen aus. Es war der zweite Todesfall, den ich erlebte, und der Kummer über den ersten war noch zu lebendig in mir.

4

Ich verlor keine Zeit und erzählte meiner Mutter alles, was ich wusste und was ich ihr vielleicht schon längst hätte erzählen sollen. Wir begriffen, dass wir uns in einer schwierigen und gefährlichen Lage befanden. Ein Teil des Geldes des Toten – wenn er überhaupt noch bares Geld hatte – gehörte sicherlich uns. Es war aber, nachdem wir den Schwarzen Hund und den blinden Bettler gesehen hatten, nicht wahrscheinlich, dass unseres Kapitäns Schiffsgefährten ihre Beute, auf die sie lauerten, zur Bezahlung der Schulden des Toten verwenden würden. Hätte ich den Befehl des Kapitäns befolgt, sofort aufs Pferd zu steigen und zu Doktor Livesey zu reiten, so wäre meine Mutter allein zurückgeblieben. Das Knistern der Kohlen im Küchenherd, ja selbst das Ticken der Uhr erfüllte uns mit Unruhe. Wir glaubten rings um das Haus Schritte zu hören. Wenn ich an die auf dem Boden der Gaststube liegende Leiche des Kapitäns und an jenen blinden Bettler dachte, der sich vielleicht noch in der Nähe aufhielt,

ROBERT L. STEVENSON

um bald zu uns zurückzukehren, standen mir vor Angst die Haare zu Berge. Wir mussten zu einem Entschluss kommen. Schließlich einigten wir uns, zusammen in das benachbarte Dorf zu gehen und dort Hilfe zu suchen. Barhäuptig eilten wir in die Abenddämmerung und in den frostigen Nebel hinaus.

Das Dorf lag nur einige Hundert Schritte von uns entfernt auf der anderen Seite des Hügels, und zwar gerade der Richtung entgegengesetzt, aus der der Blinde erschienen und wohin er wahrscheinlich zurückgekehrt war. Unser Weg auf der Landstraße dauerte nur wenige Minuten, obwohl wir manchmal anhielten und Hand in Hand rundum spähten. Wir vernahmen aber kein verdächtiges Geräusch – nichts als das leise Plätschern der Wogen und das Krächzen der Krähen im Wald.

Die Kerzen brannten bereits in den Häusern, als wir das Dorf erreichten. Nie werde ich die Freude vergessen, die ich empfand, als ich ihren gelben Schein hinter Türen und Fenstern erblickte. Es sollte aber unsere einzige Freude bleiben, da keine Menschenseele mit uns nach dem »Admiral Benbow« zurückkehren wollte. Je mehr wir von unseren Befürchtungen erzählten, desto entschlossener waren sie – Männer, Frauen und Kinder –, das schützende Dach ihrer Häuser nicht zu verlassen. Der Name des Kapitäns Flint war einigen von ihnen recht gut bekannt und jagte ihnen entsetzlichen Schrecken ein. Ein paar Männer, die jenseits vom »Admiral Benbow« auf den Feldern gearbeitet hatten, behaupteten zudem, dass sie auf der Landstraße verschiedene Fremde, wahrscheinlich Schmuggler, gesehen hätten und vor ihnen geflüchtet seien. Einer wollte sogar ein kleines Fahrzeug in Kitt's Hole, wie wir einen abgelegenen Schlupfwinkel nannten, gesehen haben. So erklärten sich wohl einige Männer bereit, zu Doktor Livesey, der in der anderen Richtung wohnte, zu reiten und ihn um Rat zu bitten, aber es gab nicht einen, der mit uns das Wirtshaus verteidigen wollte. Ihre ganze Hilfe beschränkte sich darauf, mir eine Pistole zu geben. Auch versprachen sie uns, Pferde für uns bereitzuhalten, falls wir auf unserer Rückkehr verfolgt würden. Ein Bursche sollte zum Doktor reiten und ihn um Beistand bitten.

Mein Herz klopfte laut, als wir beide in der kalten Nacht den gefährlichen Heimweg antraten. Der Vollmond war aufgegangen und schimmerte rötlich durch den Nebel – das trieb uns zu noch größerer Hast an. Es lag auf der Hand, dass es taghell sein würde, wenn wir unser Haus wiederum verließen, und dass wir dann nicht hoffen durften, den Augen etwaiger Späher zu entgehen. Geräuschlos und schnell huschten wir unter dem Schutz der Hecken dahin. Wir sahen und hörten nichts, das unsere Furcht noch hätte steigern können, atmeten aber erleichtert auf, als sich die Tür des »Admiral Benbow« wieder hinter uns schloss.

Ich schob sofort den Riegel vor und so blieben wir einen Augenblick im Dunkeln allein im Haus mit dem toten Kapitän. Dann holte meine Mutter eine Kerze, fasste mich bei der Hand und zusammen gingen wir in das Gastzimmer. Wie wir ihn verlassen hatten, lag der Tote auf dem Rücken mit weit geöffneten Augen und einen Arm steif ausgestreckt.

ROBERT L. STEVENSON

»Mach die Fensterläden zu, Jim! Sie könnten kommen und von draußen hereinsehen. Und nun«, sagte sie, als ich damit fertig war, »müssen wir versuchen, dem Toten die Schlüssel abzunehmen. Wer aber wird den Leichnam anfassen?« Sie seufzte bei diesen Worten. Ich ließ mich sofort auf meine Knie nieder. Dicht bei seiner Hand lag auf dem Boden ein kleines, rundes Stück Papier, das auf der einen Seite mit Kohle geschwärzt war. Das musste der schwarze Brief sein! Ich hob ihn auf und entdeckte auf der anderen Seite in einer deutlichen Handschrift die kurze Botschaft:

»Heute um zehn Uhr abends läuft deine Frist ab.«

»Er hatte bis zehn Uhr Zeit, Mutter«, sagte ich. In diesem Augenblick begann unsere alte Uhr zu schlagen. Die plötzlichen Schläge in der vollkommenen Stille flößten uns Entsetzen ein, brachten uns aber gleichzeitig etwas Erleichterung, denn es war erst sechs.

»Nun, Jim«, befahl die Mutter, »den Schlüssel.«

Ich durchsuchte die Taschen des Toten. Einige wenige kleine Münzen, ein Fingerhut, etwas Zwirn und einige Nadeln, ein Stück Kautabak, ein altes Schiffsmesser mit zerbrochenem Griff, ein Taschenkompass und ein Feuerzeug waren meine ganze Ausbeute. Ich begann schon zu verzweifeln.

»Vielleicht trägt er ihn um den Hals«, sagte meine Mutter.

Voll Widerwillen riss ich ihm das Hemd auf und entdeckte an einer nach Teer riechenden Schnur den Schlüssel. Ich schnitt die Schnur mit des Toten eigenem Messer durch. Dieser Fund hatte uns mit neuer Hoffnung erfüllt.

Wir eilten sofort die Treppe hinauf in das kleine Zimmer, das er so lange bewohnt hatte und in dem seine Kiste stand.

Sie sah wie jede andere Seemannskiste aus. In den Deckel war mit einem glühenden Eisen der Buchstabe B eingebrannt worden. Die stark beschädigten, abgebrochenen Ecken zeugten von langem Gebrauch.

»Gib mir den Schlüssel«, befahl meine Mutter. Obwohl sich das Schloss sehr schwer öffnen ließ, hatte sie den Schlüssel im Nu umgedreht und den Deckel zurückgeschlagen.

Ein starker Tabak- und Teergeruch schlug uns entgegen. Obenauf war nichts weiter zu sehen als ein sehr guter Tuchanzug, der sorgfältig gebürstet und zusammengelegt war. Meine Mutter meinte, dass er nie getragen worden sei. Darunter begann das Durcheinander: ein Quadrant, eine Zinnbüchse, einige Pakete Tabak, zwei Paar sehr hübsche Pistolen, eine Stange ungemünzten Silbers, eine alte spanische Uhr und einige Schmucksachen von geringem Wert – meist ausländische Erzeugnisse –, ein Paar in Messing gefasste Kompasse und fünf oder sechs merkwürdige westindische Muscheln. Oft habe ich seither darüber nachgedacht, warum er wohl diese Muscheln in seinem verwünschten, ruhelosen, schuldbeladenen Leben mit sich geführt haben mochte.

Bisher hatten wir nichts von Wert gefunden, mit Ausnahme des Silberbarrens und der Schmuckstücke. Damit wussten wir aber nichts anzufangen. Ganz unten entdeckten wir schließlich einen alten Schiffsmantel, den das Seewasser manch einer Reise gebleicht hatte. Meine Mutter

ROBERT L. STEVENSON

entfernte ihn ungeduldig. Auf dem Boden der Kiste lag ein in Öltuch eingewickeltes Bündel, das Schriftstücke zu enthalten schien, und ein Leinwandsack. Als wir ihn berührten, klirrten darin Goldstücke.

»Diese Spitzbuben sollen sehen, dass ich eine ehrliche Frau bin«, sagte meine Mutter. »Ich will nur nehmen, was mir zukommt, und nicht einen Penny darüber.« Und sie begann den Betrag, den uns der Kapitän schuldete, abzuzählen.

Es war ein langwieriges, mühsames Geschäft, denn die Münzen stammten aus aller Herren Länder und waren von verschiedenem Wert: Dublonen und Louisdors und Guinees und was weiß ich noch, alles bunt durcheinander. Am seltensten waren Guinees, und doch war es die einzige Geldsorte, nach der meine Mutter zu rechnen verstand.

Als wir etwa die Hälfte durchgesehen hatten, legte ich plötzlich meine Hand auf ihren Arm. Ich hatte in der stillen Nachtluft ein Geräusch vernommen, bei dem mir das Herz vor Schreck stillzustehen schien – das Klopfen eines Stockes auf der gefrorenen Landstraße. Der Blinde! Tapp-tapp kam es näher und näher, während wir atemlos dasaßen. Ein hartes Pochen an der Haustür folgte, jemand drückte die Türklinke nieder und der Riegel klapperte. Dann folgte ein langes Schweigen, bis endlich das Tappen des Stockes wieder anfing und zu unserer unbeschreiblichen Freude und Dankbarkeit immer schwächer wurde, um schließlich ganz aufzuhören.

»Mutter«, sagte ich, »nimm das Ganze und lass uns fliehen.« Ich war sicher, dass die verschlossene Tür den Argwohn des Blinden erregt haben musste und er das ganze Wespennest auf uns loslassen wollte. Wie froh ich aber war, dass ich die Tür verschlossen hatte, wird sich niemand vorstellen können, der nicht jenem entsetzlichen Blinden begegnet ist.

Trotz dieses Schreckens wollte meine Mutter doch nicht einen Pfennig weniger nehmen, als ihr zustand. Es sei noch lange nicht sieben Uhr, sagte sie, sie wolle nur ihr gutes Recht haben. Sie redete noch auf mich ein, als wir vom Hügel her einen lang gezogenen, leisen Pfiff vernahmen. Das war für uns beide genug, ja mehr als genug. »Ich nehme, was ich habe«, sagte sie und sprang auf.

»Und damit wir nicht zu kurz kommen, will ich das noch nehmen«, sprach ich und ergriff das in Öltuch eingenähte Paket.

Wir ließen das Licht bei der leeren Kiste zurück, tasteten die Treppe hinunter, öffneten die Tür und flohen. Wir waren nicht einen Augenblick zu früh aufgebrochen. Die Hügel lagen in hellem Mondlicht. Nur über dem Tal und vor der Wirtshaustür hing noch ein feiner Nebelschleier, der die ersten Schritte unserer Flucht verbarg. Wir mussten aber in den verräterischen Mondschein hinaus, noch ehe wir den halben Weg nach dem Dorf zurückgelegt hatten. Der Klang eiliger Schritte klang an unser Ohr. Als wir uns umsahen, zeigte uns das Hin- und Herschwingen eines Lichtes, dass einer der Ankömmlinge eine Laterne trug.

»Mein lieber Junge«, sagte die Mutter plötzlich, »nimm das Geld und laufe fort, ich fühle mich nicht wohl. Ich kann nicht mehr.«

Schlimmeres konnte uns nicht begegnen. Wie sehr

verwünschte ich die Feigheit unserer Nachbarn, wie sehr warf ich im Stillen meiner armen Mutter ihre Ehrlichkeit und ihre Habgier, ihre frühere Tollkühnheit und ihre jetzige Schwäche vor! Wir waren zum Glück gerade bei der kleinen Brücke, als sie plötzlich mit einem Seufzer zusammenbrach. Ich weiß nicht, wie ich die Kraft dazu fand, aber es gelang mir, sie bis an den Rand des Ufers und von dort einige Schritte unter den Brückenbogen zu ziehen. Mehr vermochte ich nicht zu tun. Die Brücke war so niedrig, dass wir kaum darunterkriechen konnten. Dort, in Hörweite der Wirtschaft, mussten wir bleiben und der Dinge harren, die da kommen würden.

5

Meine Neugierde war stärker als meine Furcht. Sie ließ mich nicht in meinem Versteck bleiben. Ich kroch unter der Brücke hervor und kletterte die Uferböschung hinauf. Ich verbarg mich hinter einem Strauch, von wo aus ich die Landstraße bis zu unserer Tür übersehen konnte. Ich war kaum in Deckung, als unsere Feinde schon eintrafen. Es waren sieben oder acht Mann, die in größter Hast herbeirannten, ihnen voran der Laternenträger, der ihnen den Weg zeigte. Drei Männer liefen Hand in Hand und selbst durch den Nebel hindurch erkannte ich, dass der Mittlere der blinde Bettler war. Im nächsten Augenblick bewies mir seine Stimme, dass ich mich nicht getäuscht hatte.

»Schlagt die Tür ein!«, rief er.

»Jawohl, sofort!«, antworteten zwei oder drei und im

Sturmschritt ging es jetzt gegen den »Admiral Benbow« los. Unvermittelt blieben sie aber wieder stehen, da sie überrascht waren, die Tür offen zu finden. Lange zögerten sie aber nicht. Ich hörte sie miteinander flüstern, dann erteilte der Bettler wieder seine Befehle. Seine Stimme klang schrill und hoch, wie in blinder Wut.

»Hinein, hinein, hinein!«, schrie er und verwünschte sie wegen ihrer Langsamkeit.

Vier oder fünf führten den Befehl aus, zwei blieben vor dem Haus bei dem schrecklichen Bettler zurück. Wieder folgte eine Pause, dann wurde ein Schrei der Überraschung laut. Einen der Männer hörte man aus dem Inneren des Hauses rufen: »Bill ist tot!«

»Durchsucht ihn, ihr faulen Taugenichtse! Einige von euch rasch nach oben und die Kiste heruntergeholt!«, kommandierte der Bettler.

Ich hörte, wie sie die Treppe hinaufstürmten, hörte ihre bestürzten Schreie oben im Zimmer des Kapitäns. Das Fenster wurde krachend aufgestoßen, eine Scheibe zerbrach und ein Mann lehnte sich mit dem ganzen Oberkörper hinaus.

»Pew«, rief er dem blinden Bettler auf der Straße zu, »jemand ist uns zuvorgekommen und hat die Kiste durchwühlt.«

»Ist es da?«, brüllte Pew.

»Das Geld ist da.«

Der Blinde verwünschte das Geld.

»Flints Karte meine ich«, schrie er.

»Wir können sie nirgends finden«, entgegnete der Mann von oben.

»Ihr dort unten, hat Bill sie bei sich?«, rief der Blinde wiederum.

In der Tür der Wirtschaft erschien ein anderer Bursche, der wahrscheinlich unten geblieben war und die Leiche des Kapitäns durchsucht hatte.

»Es ist nichts da«, sagte er. »Jemand hat Bills Taschen ausgeräumt.« »Das haben die verwünschten Wirtsleute getan! Dieser freche Junge! Ich wollte, ich hätte ihm die Augen ausgekratzt!«, tobte der Blinde. »Sie können nicht weit sein, die Tür war noch vor wenigen Minuten verriegelt.«

»Du hast recht, sie haben sogar das Licht brennen lassen«, sagte der Bursche im Fenster.

»Verteilt euch und sucht sie! Zuvor aber stellt das Haus auf den Kopf!«, wiederholte Pew und stieß dabei mit seinem Stock auf die Straße.

Rasend vor Ungeduld lärmten sie in unserer alten Wirtschaft. Schwere Füße trampelten hierher und dorthin, Möbel flogen krachend um und Türen wurden zerbrochen. Schließlich aber kam einer nach dem andern auf die Straße und erklärte, dass wir nirgends zu finden seien.

Gerade in diesem Augenblick ertönte das Pfeifen in der Ferne wieder, das meine Mutter und mich im Zimmer des Kapitäns erschreckt hatte, diesmal jedoch zweimal hintereinander. Vorher hatte ich geglaubt, es wäre eine Art Trompete des Blinden gewesen, mit der er seine Mannschaft zum Angriff sammelte, aber jetzt entdeckte ich, dass es ein Signal war, das vom Hügel beim Dorf kam und vermutlich die Piraten vor einer nahenden Gefahr warnen sollte.

»Dirk lässt sich schon wieder hören«, sagte einer. »Zweimal! Jetzt müssen wir ausrücken, Genosse!«

»Ausrücken, du Schuft!«, schrie Pew. »Dirk war von Anbeginn ein feiger Narr – ihr sollt nicht auf ihn hören. Sie müssen ganz in der Nähe sein, ihr braucht nur eure Hände nach ihnen auszustrecken! Zerstreut euch und sucht sie, Hunde! Oh, wenn ich Augen hätte!« Zwei der Gesellen fingen also an, sich noch einmal nach uns umzusehen, doch wie mir vorkam, war ihr Herz nicht bei der Sache. Die Übrigen standen unentschlossen auf der Landstraße.

»Ihr Narren könntet eure Hände auf ungeheure Schätze legen und fürchtet euch, einen Schritt zu tun! Ihr könntet so reich wie die Könige werden, wenn ihr das Paket findet, und doch versagt ihr mir den Gehorsam. Nicht einer unter euch wagte es, Bill entgegenzutreten, und ich tat es – ich, ein blinder Mann. Um euretwillen soll ich mein Glück verscherzen, ein armer, elender, nach Rum wimmernder Bettler bleiben, während ich in einer vierspännigen Kutsche fahren könnte! Wenn ihr nur den Mut der Maden im Schiffszwieback hättet, würdet ihr sie noch fangen.«

»Genug, Pew, wir haben doch die Dublonen!«, knurrte einer.

»Vielleicht haben sie das verfluchte Ding versteckt«, sagte ein anderer. »Nimm die goldenen Georgstaler, Pew, und schimpf nicht wie ein altes Fischweib!«

In besinnungslosem Zorn über den Widerstand, den seine Forderungen fanden, schlug der Blinde mit seinem Stock wild um sich, gleichgültig, wen er traf.

Die rohen Gesellen verfluchten den Krüppel, gaben

ihm die Schimpfworte reichlich zurück und versuchten, freilich vergebens, ihm den Stock zu entreißen.

Dieser Streit war unsere Rettung. Während er noch tobte, hörten wir vom Hügel des Dorfes das Galoppieren herannahender Pferde. Fast gleichzeitig krachte auf der entgegengesetzten Seite ein Pistolenschuss, der offenbar das letzte Warnsignal war. Die Piraten machten sofort kehrt und liefen nach verschiedenen Richtungen davon, der eine dem Meer zu, der andere quer über den Hügel, und in einer halben Minute sah ich keinen mehr von ihnen. Nur Pew stand noch allein da. Sie hatten ihn im Stich gelassen, ob aus Angst oder weil sie sich für die Flüche und Schläge rächen wollten, das weiß ich nicht. Verzweifelt tastete er sich nun mit seinem Stock die Landstraße entlang und rief dabei nach seinen Kameraden. Zuletzt schlug er eine falsche Richtung ein und lief ganz dicht an mir vorüber auf das Dorf zu.

»Johnny, Schwarzer Hund, Dick«, rief er. »Ihr werdet doch den alten Pew nicht verlassen, Kameraden – euren lieben Freund, den alten Pew!«

In diesem Augenblick wurden im Mondschein auf dem Hügel vier oder fünf Reiter sichtbar, die in vollem Galopp den Abhang herunter jagten. Als Pew das Hufgetrappel hörte, machte er mit einem lauten Aufschrei kehrt und lief auf den Graben zu, in den er kopfüber hineinfiel. Er stand jedoch im nächsten Augenblick wieder auf seinen Füßen und lief jetzt völlig verwirrt gerade unter die Hufe des ersten Pferdes. Mit einem schrecklichen Aufschrei fiel Pew zu Boden und das Pferd jagte über ihn hinweg und zertrampelte ihn mit den Hufen. Er wälzte sich noch einmal um, kehrte sein Gesicht nach unten und regte sich dann nicht mehr.

Ich sprang aus meinem Versteck und rief die Reiter an. Entsetzt über den Unfall brachten sie ihre Pferde zum Stehen. Ganz hinten bemerkte ich den Jungen, der aus dem Dorf zu Doktor Livesey aufgebrochen war. Die übrigen Männer waren Zollbeamte, die er unterwegs getroffen hatte und mit denen er zurückgekehrt war. Das Gerücht von der Ankunft der Schmuggler hatte nämlich auch den Oberaufseher Dance erreicht und ihn zu einem Erkundungsritt veranlasst, dem sowohl meine Mutter wie ich unser Leben zu danken hatten.

Pew war tot. Meine Mutter, die wir schnell ins Dorf trugen, kam bald wieder zu sich. Die ausgestandene Angst hatte ihr übrigens nicht geschadet, obwohl sie noch immer darüber jammerte, dass sie sich nicht den ganzen Betrag ihrer Rechnung genommen hatte. Inzwischen ritt der Oberaufseher mit seiner Mannschaft, so schnell er konnte, zum Kitt's Hole. Sie kamen jedoch zu spät, der Kutter war bereits unter Segel, wenn auch noch ganz in der Nähe des Landes. Als Dance die Besatzung aufforderte sich zu ergeben, schrien sie zurück: »Geht aus dem Mondlicht, Gentlemen, sonst bekommt ihr eine Portion Blei verpasst!« Gleichzeitig pfiff eine Kugel dicht an Dances Arm vorbei. Bald darauf segelte der Kutter um die Landzunge und verschwand. Wie Mr Dance sagte, stand er da wie ein Fisch auf dem Trockenen und konnte nichts weiter tun als einen Mann nach Belrow schicken, um dort vor dem Kutter zu warnen. »Und das«, sagte er, »ist ungefähr so gut wie nichts. Sie sind uns entwischt.«

Ich ging mit ihm zu dem »Admiral Benbow« zurück. Es lässt sich nicht beschreiben, wie die Kerle dort gehaust hatten. In ihrer wütenden Jagd nach meiner Mutter und mir hatten sie das Unterste zuoberst gekehrt und selbst die Uhr von der Wand herabgerissen; außer dem Geld des Kapitäns und der Tageseinnahme in unserer Kasse war allerdings nichts gestohlen. Mr Dance wusste nicht, was er zu dieser Geschichte sagen sollte.

»Das Geld haben sie, sagst du, Hawkins? Was, in Gottes Namen, suchten sie denn sonst? Noch mehr Geld?«

»Nein, Sir«, entgegnete ich, »sie hatten es nicht so sehr auf das Geld abgesehen als auf das Bündel, das ich hier in meiner Brusttasche trage und das ich, um die Wahrheit zu gestehen, gern in Sicherheit bringen möchte.«

»Da hast du recht, mein Junge, vollkommen recht«, sagte er.

»Ich will es an mich nehmen, wenn du willst.«

»Ich wollte es eigentlich Doktor Livesey geben«, begann ich.

»Sehr richtig«, unterbrach er mich freundlich, »sehr richtig – das ist ein Ehrenmann und eine Amtsperson. Und jetzt, da ich mir die Sache überlege, fällt mir ein, dass ich gleich zusammen mit dir zu ihm reiten und ihm oder Squire Trelawney über den Vorfall berichten könnte. Denn Master Pew ist tot und die Leute werden den Vorfall gegen mich auszunutzen versuchen, wenn sie es nur können. Also, Hawkins, wenn du willst, so komm gleich mit.«

Ich dankte ihm herzlich für sein Anerbieten und wir

gingen in das Dorf zurück, wo die Pferde standen. Während ich Mutter noch von meinem Vorhaben erzählte, stiegen die Zollbeamten schon wieder auf.

»Dogger«, sagte Mr Dance, »Ihr habt ein gutes Pferd, lasst den Jungen hinter Euch aufsitzen.«

Gleich darauf saß auch ich hoch zu Ross und im Trab ging es jetzt zu Doktor Livesey.

6

Wir legten den Weg bis vor Doktor Liveseys Tür ohne Unterbrechung zurück.

Mr Dance wies mich an vom Pferd hinabzuspringen und anzuklopfen. Im nächsten Augenblick schon öffnete das Mädchen die Tür.

»Ist Doktor Livesey zu Hause?«, fragte ich.

»Nein«, antwortete sie, »er ist am Nachmittag nach Hause gekommen, aber dann ins Herrenhaus zum Essen gegangen, um den Abend mit dem Squire zu verbringen.«

»Also auf zum Herrenhaus!«, sagte Mr Dance.

Da der Weg diesmal nicht weit war, stieg ich nicht wieder hinter Dogger aufs Pferd. Ich klammerte mich an seinen Steigbügel und lief bis vor das Tor, wo Mr Dance abstieg und mit mir sofort Einlass in das Haus fand.

Der Diener führte uns über einen teppichbelegten Gang in die große Bibliothek. Dort saßen der Squire und Doktor Livesey, jeder mit einer Pfeife in der Hand, vor dem lustig brennenden Feuer.

Der Squire war ein breitschultriger, kräftiger Mann,

ROBERT L. STEVENSON

über einen Meter achtzig groß. Er hatte ein offenes, wettergebräuntes, von vielen Runzeln durchfurchtes, derbes Gesicht. Seine Augenbrauen waren ganz dunkel und sehr beweglich und verliehen seinem Gesicht ein stolzes, temperamentvolles Aussehen, nicht bösartig, aber doch jähzornig.

»Nur hereinspaziert, Mr Dance«, sagte er herablassend und selbstbewusst.

»Guten Abend, Dance«, grüßte der Doktor mit freundlichem Kopfnicken, »und guten Abend auch, Freund Jim. Welcher gute Wind führt dich hierher?«

Der Oberaufseher stand kerzengerade da und erzählte, was geschehen war. Die beiden Herren beugten sich vor, sahen einander an und vergaßen in ihrer Überraschung ganz, an ihren Pfeifen zu ziehen.

Als sie hörten, dass meine Mutter in das Wirtshaus zurückgegangen war, klatschte Doktor Livesey bewundernd in die Hände und der Squire schrie »Bravo« und zerbrach dabei seine lange Pfeife am Kamin. Bevor noch die Erzählung zu Ende war, hatte sich Mr Trelawney von seinem Sitz erhoben und ging mit langen Schritten im Zimmer umher, während der Doktor, wie um besser zu hören, seine gepuderte Perücke abgenommen hatte. Mit seinen kurz geschnittenen schwarzen Haaren sah er höchst merkwürdig aus.

Endlich war Mr Dance mit seinem Bericht fertig.

»Mr Dance«, sagte der Squire, »Sie sind ein wackerer Mann. Und unser Freund Hawkins hier ist ein Prachtjunge, wie ich sehe. Hawkins, willst du einmal die Klingel ziehen? Mr Dance muss ein Glas Bier trinken.«

»Und Jim auch!«, sagte der Doktor; dann wandte er sich zu mir: »Du hast also den Gegenstand, den sie so eifrig suchten, nicht wahr?«

»Hier ist er, Herr Doktor«, sagte ich und reichte ihm das in Öltuch eingenähte Bündel.

Der Doktor blickte es an, als ob ihn alle Finger juckten, es zu öffnen. Er tat dies jedoch nicht, sondern steckte das Bündel ruhig in seine Rocktasche.

»Squire«, sagte er, »wenn Dance sein Bier ausgetrunken hat, muss er natürlich wieder an den Dienst Seiner Majestät denken. Es wäre mir jedoch lieb, wenn Jim Hawkins heute Nacht in meinem Hause schlafen würde. Mit Ihrer Erlaubnis schlage ich vor, ihm jetzt ein kaltes Abendessen vorsetzen zu lassen.«

»Wie Sie meinen, Livesey«, erwiderte der Squire.

Ein reich gefüllter Teller mit kaltem Aufschnitt wurde bald darauf hereingebracht und mir vorgesetzt. Ich ließ es mir vorzüglich schmecken, denn ich war hungrig wie ein Wolf, während Mr Dance noch weitere Komplimente entgegennahm und sich dann verabschiedete.

»Und nun, Squire«, sagte der Doktor.

»Und nun, Livesey«, sagte fast gleichzeitig der Squire.

»Nur langsam«, lachte Livesey. »Sie haben wohl schon von Flint gehört, wie ich vermute?«

»Ob ich von ihm gehört habe!«, rief der Squire. »Er war der blutrünstigste Seeräuber, der je auf dem Ozean gesegelt ist. Schwarzbart war ein Kind gegen Flint. Die Spanier hatten eine so entsetzliche Furcht vor ihm, dass ich, um die Wahrheit zu gestehen, mich manchmal freute, dass er Engländer war. Ich habe sein Toppsegel vor Trinidad gesehen. Der Feigling von einem Kapitän, an dessen Bord ich mich befand, machte wieder kehrt, Doktor, und steuerte zurück nach Port of Spain.«

»Ich habe gleichfalls von ihm gehört, und zwar hier in England«, sagte der Doktor. »Die Hauptfrage lautet jedoch: Hatte er Geld?«

»Geld?«, rief der Squire. »Hat man je eine solche Frage gehört? Sind diese Schurken auf etwas anderes als auf Geld aus? Haben sie für etwas anderes Interesse als für Geld? Würden sie ihr elendes Leben für etwas anderes als Geld aufs Spiel setzen?«

»Das werden wir bald wissen«, entgegnete der Doktor. »Sie regen sich zu sehr auf, Squire, und wir kommen von der wesentlichen Frage ab. Ich wünsche nur das eine zu wissen: Angenommen, ich habe hier in meiner Tasche den Schlüssel zu dem Ort, wo Flint seinen Schatz vergrub, wie hoch könnte sich dieser Schatz belaufen?«

»Wie hoch, Doktor?«, rief der Squire. »Wenn wir den Schlüssel haben, von dem Sie sprechen, so will ich in den Bristoler Docks ein Schiff ausrüsten, Sie und Hawkins mitnehmen und den Schatz heben und wenn ich auch ein Jahr lang danach suchen müsste.«

»Ein Mann, ein Wort«, sagte der Doktor. »Nun, Jim, wenn es dir recht ist, will ich das Paket öffnen.« Und er legte es vor sich auf den Tisch.

Das Bündel war zusammengenäht. Der Doktor musste aus seinem Instrumentenkasten eine Schere herausholen und die Stiche auftrennen. Es enthielt zweierlei: ein Buch und ein versiegeltes Dokument. »Versuchen wir es zuerst einmal mit dem Buch«, bemerkte der Doktor.

Der Squire und ich schauten ihm, als er es öffnete, über die Schultern. Auf der ersten Seite befanden sich nur wenige Kritzeleien, wie sie ein Mann mit der Feder zur Unterhaltung oder Übung macht. Ein Satz lautete: »Mr W. Bones, Maat.« Ein zweiter: »Kein Rum mehr.« – »Bei Palm Key bekam er's«, und noch mehr derartige, meist aus einzelnen Worten bestehende Eintragungen. Ich konnte nicht umhin mich zu fragen, wer es war, der »es« bekommen hatte und was dieses »es« wohl sein könnte. Höchstwahrscheinlich ein Messerstich in den Rücken.

»Daraus ist nicht viel Aufschlussreiches zu holen«, sagte Doktor Livesey und blätterte weiter.

Die nächsten zehn bis zwölf Seiten enthielten eine sonderbare Reihe von Eintragungen. An einem Ende der Linien stand ein Datum und an dem andern ein Geldbetrag, dazwischen jedoch anstelle erklärender Worte Kreuze, bald mehr, bald weniger. Am 12. Juni 1745 war zum Beispiel die Summe von 70 Pfund für jemand fällig geworden, als Erläuterung standen nur sechs Kreuze da. In einigen Fällen war auch eine Ortsbestimmung hinzugefügt, wie etwa: »Auf der Höhe von Caracas«, oder die einfache Angabe der geografischen Breite und Länge, wie zum Beispiel: 62° 17' 20", 19° 2' 40". Diese Buchführung erstreckte sich über nahezu zwanzig Jahre, der Betrag der verschiedenen Summen wurde im Laufe der Jahre immer größer, bis zuletzt nach fünf oder sechs falschen Additionen ein riesiger Gesamtbetrag ausgerechnet war, unter dem die Worte standen: »Bones' Anteil.«

»Das Ganze ist mir völlig unverständlich«, sagte Livesey.

»Klarer kann es nicht sein«, rief der Squire. »Es ist das

Kontobuch dieses Mistkerls. Die Kreuze bedeuten Schiffe, die die Piratenbande geentert hat, oder Städte, die geplündert worden sind. Die Summen stellen den jeweiligen Anteil des Halunken dar. Nur da, wo er einen Irrtum befürchtete, machte er noch einen Zusatz. Die Worte ›Auf der Höhe von Caracas‹ bedeuten, dass an jener Küste ein Schiff von den Seeräubern überfallen wurde. Gott sei den armen Seelen gnädig.«

»Aber natürlich!«, sagte der Doktor. »An Ihnen sieht man, was ein Mensch aus Reisen lernen und Erfahrungen schöpfen kann. Es stimmt vollkommen! Und die Beträge nehmen zu, je weiter er in seinem Rang aufrückte!«

Der Band enthielt sonst nichts Interessantes, wenn man von einzelnen geografischen Ortsbestimmungen auf den weißen Blättern am Schluss und einer Umrechnung französischer, englischer und spanischer Münzen absah.

»Ein gerissener Hund!«, rief der Doktor aus, »der ließ sich nicht einfach die Butter vom Brot nehmen.«

»Und nun«, sagte der Squire, »zur Hauptsache!«

Das Schriftstück war an verschiedenen Stellen versiegelt, als Siegel dürfte der Fingerhut, den ich in der Tasche des Kapitäns gefunden hatte, gedient haben. Der Doktor öffnete die Siegel mit großer Sorgfalt und die Karte einer Insel fiel heraus. Sie enthielt die Angabe der geografischen Länge und Breite, die Bezeichnung von Hügeln, Buchten und Landzungen und alle sonstigen Einzelheiten, die notwendig waren, um ein Schiff an der Küste der Insel sicher vor Anker zu bringen. Die Insel war ungefähr neun Meilen lang, hatte einen Durchmesser von fünf Meilen und zwei vom Land umschlossene Häfen sowie etwa in ihrer Mitte einen Hügel, der die Bezeichnung Spy-glass trug. Die Karte zeigte verschiedene Zusätze aus späterer Zeit, vor allem aber drei rote Kreuze – zwei auf der Nordseite der Insel und ein Kreuz im Südwesten. Neben diesem fanden sich, gleichfalls mit roter Tinte, aber in kleiner, sauberer Handschrift, sehr verschieden von dem Gekritzel des Kapitäns, die Worte: »Hier liegt der größte Teil des Schatzes.«

Auf der Rückseite der Karte fanden sich in der gleichen Handschrift noch weitere Angaben:

»Hoher Baum, Schulter des Spy-glass, Richtung ein Strich N zu NNO Skeleton Island OSO zu O.

Zehn Fuß.

Das Barrensilber befindet sich im nördlichen Versteck. Es liegt zehn Faden südlich vom schwarzen Felsen, auf dem das Gesicht zu sehen ist. Die Waffen sind im Sandhügel zu finden: N, ein Strich zu der nördlichen Landzunge. Richtung O und ein Viertel N.   *J. F.«*

Das war alles; aber so kurz und unverständlich es mir erschien, erfüllte es doch den Squire und Doktor Livesey mit wahrer Begeisterung.

»Livesey«, sagte der Squire, »Sie werden sofort Ihre armselige Praxis aufgeben. Morgen reise ich nach Bristol. Binnen drei Wochen – zwei Wochen – zehn Tagen – will ich das beste Schiff und die großartigste Mannschaft von ganz England beisammenhaben. Hawkins soll als Kajütenboy mitkommen. Du wirst einen famosen Kajütenboy abgeben, Hawkins. Ihr, Livesey, seid Schiffsarzt, ich bin Admiral. Wir nehmen noch Redruth, Joyce und Hunter mit. Wir werden günstigen Wind und eine schnelle Fahrt haben, mit größter Leichtigkeit die Stelle, wo der Schatz vergraben ist, finden und dann so viel Geld haben, dass wir zeit unseres Lebens versorgt sind.«

»Trelawney«, sagte der Doktor, »ich gehe mit Ihnen und wette, dass auch Jim mitkommen wird. Wir werden uns seiner nicht zu schämen brauchen. Nur vor einem einzigen Menschen fürchte ich mich.«

»Und der wäre?«, rief der Squire. »Nennt mir den Mann, Doktor.«

»Sie selbst«, erwiderte dieser, »denn Sie können Ihren Mund nicht halten. Wir sind nicht die einzigen Leute, die von diesem Papier Kenntnis haben. Die Burschen, die heute Abend das Wirtshaus überfielen – Galgenvögel, wie sie im Buch stehen –, die Übrigen, die an Bord des Kutters blieben, und wahrscheinlich noch mehr, werden auch über Leichen gehen, um in den Besitz des Schatzes zu gelangen. Es darf daher niemand von uns allein ausgehen, bis wir auf See sind. Jim und ich werden einander Gesellschaft leisten, während Sie mit Joyce und Hunter nach Bristol reisen. Vor allem darf keiner von uns ein Sterbenswort über unsere heutige Entdeckung verlauten lassen.«

»Livesey«, entgegnete der Squire. »Sie haben wie immer recht. Ich werde stumm sein wie ein Grab.«

ZWEITES BUCH

DER SCHIFFSKOCH

7

Es SOLLTE LÄNGER DAUERN, als der Squire gedacht hatte, bis wir uns einschifften. Die Vorbereitungen, die getroffen werden mussten, brauchten Zeit. Unsere ersten Pläne erwiesen sich als ziemlich undurchführbar. Auch ich konnte nicht beim Doktor bleiben, wie wir es uns dachten. Er musste nach London fahren, um dort einen Arzt zu suchen, der ihn während der Dauer der Abwesenheit bei seinen Kranken vertrat. Der Squire war in Bristol unermüdlich tätig. Ich verbrachte inzwischen meine Zeit in halber Gefangenschaft im Herrenhaus unter der strengen Aufsicht des alten Wildhüters Redruth. Dort träumte ich von den vielfältigen Wundern der See, von fremden Inseln, fernen Stränden und merkwürdigen Abenteuern. Stundenlang sann ich über die Karte nach, an deren sämtliche Einzelheiten ich mich genau erinnerte. Wenn ich in der Stube des Verwalters behaglich am Feuer saß, steuerte ich die Insel meiner Träume aus allen möglichen Himmelsrichtungen an. Ich erforschte jeden Quadratmeter ihrer Oberfläche, kletterte wohl tausendmal zu jenem hohen Hügel empor, der den Namen Spy-glass trug und von dessen Gipfel sich mir die wunderbarste und abwechslungsreichste Aussicht bot. Zuweilen gab es auf der Insel Wilde, mit denen wir kämpften, zuweilen gefährliche Tiere, die Jagd auf uns machten. Wahre Heldentaten sah ich uns vollbringen, aber all meine Träume reichten indes noch lange nicht an die spätere Wirklichkeit mit ihren seltsamen und tragischen Abenteuern heran. So vergingen die Wochen, bis eines schönen Tages ein Brief an Doktor Livesey ankam, der den Zusatz trug: »Im Falle seiner Abwesenheit von Tom Redruth oder dem jungen Hawkins zu öffnen.«

Wir gehorchten diesem Befehl natürlich sofort und fanden oder richtiger gesagt, ich fand – denn der Wildhüter vermochte nur Druckschrift und selbst die nur kümmerlich zu lesen – folgende wichtige Neuigkeiten:

Bristol, 1. März 17..
Old Anchor Inn
Lieber Livesey!
Da ich nicht weiß, ob Sie zurzeit im Herrenhaus oder noch in London sind, sende ich dieses Schreiben in zwei Abschriften nach beiden Orten. Das Schiff ist gekauft und ausgerüstet. Es liegt vollständig seefertig vor Anker. Nie hat es einen hübscheren Schoner gegeben – ein Kind kann ihn steuern. Er hat eine Tragkraft von zweihundert Tonnen und heißt Hispaniola.

Ich erhielt das Schiff durch Vermittlung eines Freundes namens Blandly, der sich um das Zustandekommen meines Planes sehr verdient gemacht hat. Der Prachtkerl hat sich in meinem Interesse buchstäblich aufgeopfert, wie das – ich darf es wohl hinzufügen – jedermann in Bristol tut, seitdem man von dem Hafen, nach dem wir segeln – das heißt, nach Gold und Silber –, Wind erhielt.

»Redruth«, sagte ich und hielt im Vorlesen inne, »das wird Doktor Livesey nicht gefallen. Der Squire hat also doch geplaudert.«

»Und wer hätte wohl mehr Recht dazu?«, brummte der Wildhüter. »Es wäre doch seltsam, wenn der Squire um Doktor Liveseys willen den Mund halten sollte, möchte ich meinen.« Nach dieser Antwort gab ich alle weiteren Zwischenbemerkungen auf und las ohne Unterbrechung weiter:

Blandly selbst entdeckte die Hispaniola und erwarb sie durch geschicktes Handeln zu einem geradezu lächerlich niedrigen Preis für mich. Leider sind zahlreiche Kaufleute in Bristol höchst ungerechterweise sehr gegen Blandly eingenommen. Sie erklärten sogar, dass dieser ehrliche Mann für Geld alles täte, die Hispaniola hätte ihm selbst gehört und er habe sie mir unverschämt teuer verkauft. Das sind natürlich die abgeschmacktesten und durchsichtigsten Verleumdungen. Aber nicht ein Einziger wagt es, die Vorzüge des Schoners zu leugnen.

So weit ging alles gut. Die Arbeiter, Zimmerleute, Segelmacher und dergleichen, waren niederträchtig langsam, wurden aber mit der Zeit doch fertig. Wie aber die Mannschaft beschaffen? Das war meine Hauptsorge. Ich wollte rund zwanzig Mann anheuern – wir könnten es ja mit Eingeborenen, Seeräubern oder anderem Gesindel zu tun bekommen. Mit größter Mühe hatte ich gerade ein halbes Dutzend zusammengebracht, als mich ein merkwürdiger Glücksfall mit dem richtigen Mann, den ich für mein Vorhaben brauchte, zusammenführte.

Ich stand an Deck und geriet, ich weiß nicht wie, ins Gespräch mit ihm. Er ist ein alter Seemann, der nun eine Wirtschaft führt und alles seefahrende Volk in Bristol kennt. Der Aufenthalt auf dem Land ist seiner Gesundheit nicht zuträglich und er möchte wieder als Koch zur See gehen. Diesen Morgen humpelte er zum Dock, um wieder einmal Salzluft zu atmen, so sagte er.

Ich war gerührt – Sie wären es auch gewesen – und aus reinem Mitleid stellte ich ihn auf der Stelle als Schiffskoch an. Er heißt Long John Silver und hat ein Bein verloren, doch das ist in meinen Augen eine Empfehlung, da er es im Dienste seines Landes unter dem unsterblichen Admiral Hawke eingebüßt hat. Er bezieht keine Pension, Livesey. Ein schmachvolles Zeitalter, in dem wir leben!

Mein guter Stern wollte es, dass ich, wo ich nur einen Koch zu finden dachte, eine ganze Mannschaft entdeckte. In wenigen Tagen brachten Silver und ich eine Schar bärbeißiger alter Matrosen zusammen; es sind zwar keine hübschen Kerle, aber nach ihren Gesichtern zu schließen unerschrockene Burschen. Long John veranlasste mich sogar, von den sechs oder sieben Leuten, die ich schon angeheuert hatte, zwei wieder fortzuschicken. Er bewies mir nämlich, dass sie jene Sorte von Binnenfahrern seien, die bei einem ernsten Abenteuer nur hinderlich gewesen wären.

Ich erfreue mich ausgezeichneter Gesundheit und guter Laune, esse wie ein Stier und schlafe wie ein Sack. Doch werde ich nicht eher Ruhe haben, bis ich die alten Teerjacken um das Gangspill trampeln höre. Nun hinaus auf die See! Was kümmert mich der Schatz! Die Herrlichkeit des Meeres verdreht mir den Kopf! Kommen Sie also mit der nächsten Post und säumen Sie nicht eine Stunde, Livesey, wenn Sie mein Freund sind. Der junge Hawkins soll in Begleitung von Redruth sofort seine Mutter aufsuchen, Abschied von ihr nehmen und dann mit seinem Begleiter unverzüglich nach Bristol kommen.

John Trelawney

Nachschrift:
Ich habe noch nicht erwähnt, dass Blandly, der uns übrigens ein zweites Schiff nachsenden soll, wenn wir bis Ende August noch nicht zurückgekehrt sind, einen prächtigen Schiffskapitän für mich entdeckt hat. Leider ist er ein wenig steif und zurückhaltend, aber sonst in jeder Hinsicht ein wahrer Schatz. Long John hat in der Person eines Mannes namens Arrow einen tüchtigen Offizier ausfindig gemacht. Außerdem habe ich einen Bootsmann angeheuert, der Kommandos mit der Pfeife erteilt.

Fast hätte ich vergessen Ihnen mitzuteilen, dass Silver ein wohlhabender Mann ist. Ich weiß es ganz bestimmt, dass er bei einem Bankier ein Guthaben liegen hat. Seine Frau bleibt zurück, um die Wirtschaft zu führen. Da sie eine alte Kratzbürste ist, wird man es uns alten Junggesellen nicht verargen, wenn wir annehmen, dass ihn nicht allein seine angegriffene Gesundheit, sondern ebenso sehr seine Frau zur See treibt.

Nachschrift: Hawkins kann eine Nacht bei seiner Mutter bleiben.

Man kann sich vorstellen, in welche Aufregung mich dieser Brief versetzte. Ich war außer mir vor Freude und verachtete den alten Redruth, der nur brummte. Jeder der jüngeren Wildhüter hätte gern mit ihm getauscht. Eine

ROBERT L. STEVENSON

solche Änderung lag aber nicht in den Wünschen des Squires, und des Squires Wünsche waren Gesetz. Keiner außer dem alten Redruth hätte auch nur zu murren gewagt.

Am nächsten Morgen brachen wir nach dem »Admiral Benbow« auf, wo ich meine Mutter bei guter Gesundheit und in bester Laune antraf. Der Squire hatte das ganze Haus in Ordnung bringen lassen, die Gaststube war frisch gestrichen und das Wirtshausschild neu gemalt. Außerdem hatte er meiner Mutter noch einige Möbelstücke geschenkt und für sie einen Jungen aufgenommen, der ihr während meiner Abwesenheit zur Hand gehen sollte.

Als ich diesen Jungen sah, wurde mir erst die Tragweite meines Handelns bewusst. Ich hatte nur an die lockenden Abenteuer und nicht im Geringsten an mein Elternhaus gedacht. Nun stiegen mir die Tränen in die Augen, als ich diesen unbeholfenen Burschen neben meiner Mutter sah.

Die Nacht verging und am nächsten Tag traten Redruth und ich den Rückweg an. Ich sagte meiner Mutter Lebewohl und auch dem Haus, in dem ich seit meiner Geburt gelebt hatte. Einer meiner letzten Gedanken galt dem Kapitän, der so oft mit seinem Dreispitz, der Säbelnarbe im Gesicht und dem alten Messingfernrohr unter dem Arm hier an der Bucht spazieren gegangen war. Dann waren wir um die Ecke gebogen und ich sah mein Vaterhaus nicht mehr.

Bei Einbruch der Dämmerung stiegen wir vor dem Wirtshaus »Royal George« in die Postkutsche ein. Ich saß zwischen Redruth und einem dicken alten Herrn einge-

zwängt. Trotz der schnellen Fahrt und der kalten Nachtluft schlief ich sofort ein und verpasste alle Stationen. Als
mich endlich ein derber Rippenstoß weckte und ich meine Augen öffnete, war der Tag längst angebrochen. Wir
hielten in der belebten Straße einer Stadt vor einem großen Haus.

»Wo sind wir?«, fragte ich.

»In Bristol«, sagte Tom. »Steig schnell aus!«

Mr. Trelawney hatte Wohnung in einem Gasthaus in
der Nähe des Docks genommen, um von da aus die Arbeiten auf dem Schoner zu beaufsichtigen. Dorthin mussten
wir gehen. Zu meiner großen Freude führte unser Weg an
Kais und zahllosen Schiffen aller Nationen, aller Größen
und Takelagen vorüber. Wie Spinngewebe hing das Tauwerk an den Masten. Obwohl ich mein ganzes Leben an
der Küste zugebracht hatte, schien ich dem Meer noch nie
so nahe gewesen zu sein wie jetzt.

Der Teer- und Salzgeruch war mir völlig neu. Am Bug
der Schiffe sah ich wunderbare, aus Holz geschnitzte
Galionsfiguren, die weit über die Weltmeere gereist waren. Ich sah alte Matrosen mit Ringen in den Ohren und
mit Backenbärten, geteerten Zöpfen und schwerfälligem,
schwankendem Seemannsgang. Wäre ich ebenso vielen
Königen oder Erzbischöfen begegnet, ich hätte mich
nicht mehr freuen können.

Und bald sollte ich selbst zur See fahren, zur See auf
einem Schoner, wo es einen Bootsmann mit einer Kom-
mandopfeife und langzopfige, singende Matrosen gab,
zur See, um nach einer unbekannten Insel zu steuern und
nach vergrabenen Schätzen zu suchen.

ROBERT L. STEVENSON

Während ich mich noch ganz diesem Traum hingab, kamen wir plötzlich vor eine große Wirtschaft und begegneten Squire Trelawney. Wie ein Marineur ganz in Blau gekleidet, trat er mit lächelndem Gesicht zur Tür heraus.

»Da seid ihr ja«, begrüßte er uns. »Der Doktor ist schon gestern Abend von London angekommen. Bravo! Die Schiffsbesatzung ist vollständig!«

»Oh Sir«, rief ich aus, »wann werden wir segeln?«

»Wann wir segeln werden?«, entgegnete er. »Wir segeln morgen!«

8

Als ich mit meinem Frühstück fertig war, gab mir der Squire einen Brief an »John Silver, in der Wirtschaft ›Zum Spy-glass‹«. Das Haus wäre leicht zu finden, wenn ich immer am Hafen entlangginge, bis ich an eine kleine Wirtschaft mit einem großen Messingfernrohr als Aushängeschild kam. Glücklich über diese Gelegenheit, noch mehr Schiffe und Matrosen zu sehen, machte ich mich auf den Weg. Ich drängte mich durch das Gewimmel von Leuten, Lastwagen und Ballen hindurch und stand endlich vor der gesuchten Wirtschaft.

Es war ein freundliches Haus. Das Schild war frisch bemalt, vor den Fenstern hingen hübsche rote Gardinen und der Fußboden war mit frischem Sand bestreut. Die Wirtschaft, ein Eckhaus an der Kreuzung zweier Straßen, hatte zwei Eingänge, sodass man, vom Tabaksqualm abgesehen, das große, niedrige Zimmer ziemlich gut überblicken konnte.

Die Gäste waren Matrosen, die sich so laut unterhielten, dass ich mich einzutreten scheute und an der Tür stehen blieb.

Während ich noch zögerte, kam aus einem Nebenzimmer ein Mann heraus, in dem ich auf den ersten Blick Long John erkannte. Von seinem linken Bein war nur ein kurzer Stumpf übrig. Unter der linken Schulter trug er eine Krücke, die er mit erstaunlicher Gewandtheit handhabte und mit deren Hilfe er wie ein Vogel umherhüpfte. Er war außerordentlich groß und stark und hatte ein Gesicht, das zwar blass und gewöhnlich, dabei aber doch verständig und gutmütig aussah. Er schien in fröhlicher Stimmung zu sein. Während er sich zwischen den Tischen bewegte, rief er bald diesem, bald jenem seiner Gäste ein heiteres Wort zu oder schlug einem auf die Schulter. Um die Wahrheit zu gestehen, hatte ich von der ersten Minute an, seit Squire Trelawney Long John in seinem Brief erwähnt hatte, im Stillen befürchtet, dieser wäre jener Seemann mit dem Holzfuß, nach dem ich so lange vergeblich ausgespäht hatte. Ein Blick auf den Mann da genügte mir aber. Ich hatte den Kapitän, den Schwarzen Hund und den blinden Pew gesehen und glaubte jetzt zu wissen, wie ein Seeräuber aussah – nach meiner Ansicht nämlich wesentlich anders als dieser saubere, freundliche Wirt.

Ich fand meinen Mut wieder, schritt über die Schwelle und trat auf den Wirt zu, der sich, auf seine Krücke gelehnt, gerade mit einem Gast unterhielt.

ROBERT L. STEVENSON

»Ich bitte um Entschuldigung, sind Sie Mr Silver?«, fragte ich und hielt ihm den Brief hin.

»Ja, mein Junge«, antwortete er, »so heiße ich und nicht anders. Und wer bist du?« Als er den Brief des Squires erblickte, schien es mir, als zuckte er erschrocken zusammen.

»Oh«, sagte er ganz laut und reichte mir seine Hand, »jetzt weiß ich Bescheid. Du bist unser neuer Kajütenboy. Es freut mich, dich zu sehen.«

Und seine Riesenhand schloss sich fest um meine Finger.

In diesem Augenblick erhob sich einer der im Hintergrund des Zimmers sitzenden Gäste und eilte auf die nahe Tür zu, durch die er im Nu auf die Straße hinaus verschwand. Seine Eile hatte jedoch Aufmerksamkeit erregt. Ein Blick genügte mir, um ihn zu erkennen. Es war der unheimliche Mann, dem zwei Finger an der Hand fehlten, jener, der als Erster zum »Admiral Benbow« gekommen war.

»Haltet ihn fest!«, rief ich aus, »das ist der Schwarze Hund!«

»Ich schere mich den Teufel darum, wer es ist!«, schrie Silver, »aber er hat seine Zeche noch nicht bezahlt. Ihm nach, Harry, und fass ihn!«

Einer der nächst der Tür sitzenden Männer sprang auf und verfolgte den Fliehenden.

»Und wenn er Admiral Hawke selbst wäre, so soll er mir seine Zeche zahlen«, rief Silver. Er ließ meine Hand los und fuhr fort:

»Wer, sagtest du, ist es? Schwarzer was?«

»Schwarzer Hund«, sagte ich. »Hat Mr Trelawney Ihnen nichts von den Seeräubern erzählt? Er war einer von ihnen.«

»Was?« rief Silver. »In meinem Haus! Schnell, steh auf, Ben, und hilf Harry. Ein solcher Halunke war der Kerl? Bist du nicht bei ihm gesessen und hast mit ihm getrunken, Morgan? Komm einmal her zu mir!«

Der Mann, den er Morgan nannte, war ein alter, grauhaariger mahagonifarbener Seemann mit einem stumpfen Gesichtsausdruck. Er kam schwerfällig auf uns zu und rollte seinen Kautabak von einer Backe in die andere.

»Nun, Morgan«, sagte Long John mit sehr ernster Miene, »du hast diesen Schwarzen – Schwarzen Hund nie zuvor gesehen? Heraus mit der Wahrheit.«

»Ganz gewiss nicht«, erwiderte Morgan.

»Du kennst auch seinen Namen nicht, oder doch?«

»Nein, Sir.«

»Das möchte ich dir auch sehr geraten haben, Tom Morgan«, rief der Wirt aus. »Hättest du dich mit solchem elendem Gesindel eingelassen, dann hättest du nie wieder einen Fuß in mein ehrliches Haus setzen dürfen, darauf kannst du dich verlassen. Und was hat er dir gesagt?«

»Ich weiß es nicht mehr, Sir«, antwortete Morgan.

»Trägst du einen Menschenkopf auf den Schultern oder einen Schafskopf?«, rief Long John. »Vielleicht weißt du auch nicht mehr, dass du überhaupt deinen Mund aufgesperrt hast? Komm nun, was habt ihr durchgekaut – Seereisen, Kapitäne, Schiffe? Heraus mit der Sprache!«

»Wir sprachen vom Kielholen«, antwortete Morgan.

»Vom Kielholen? Das war ja eine feine Unterhaltung,

ROBERT L. STEVENSON

die gerade für euch passt. Zurück auf deinen Platz und schäm dich.«

Als Morgan sich zu seinem Platz zurücktrollte, fügte Silver in einem vertraulichen Flüstern, das mir sehr schmeichelhaft vorkam, noch hinzu:

»Er ist eine ehrliche Haut, Tom Morgan, nur ein bisschen dumm. Und nun«, fuhr er fort, »lass mich einmal nachdenken. Schwarzer Hund? Nein, der Name ist mir ganz fremd. Und dennoch, ja, ich habe den Burschen gesehen. Er kam zuweilen mit einem blinden Bettler hierher.«

»Das stimmt«, sagte ich. »Den Blinden kenne ich auch, sein Name war Pew.«

»Richtig«, rief Silver nun ganz erregt. »Pew! Das war sein Name! Ausgesehen hat er wie ein Haifisch. Wenn wir diesen Schwarzen Hund einholen, dann werden wir Käpt'n Trelawney eine gute Nachricht melden können. Ben ist ein guter Läufer. Es gibt wenig Seeleute, die besser als Ben laufen. Vom Kielholen hat er gesprochen? Ich werde ihn kielholen!«

Die ganze Zeit stampfte er mit seiner Krücke in der Wirtschaft hin und her, schlug mit der Faust auf den Tisch und zeigte eine solche Entrüstung, dass selbst der gewiefteste Kriminalrichter und Geheimpolizist an seine Unschuld geglaubt hätte. Mein Argwohn gegen ihn war wieder rege geworden, als ich den Schwarzen Hund im »Spy-glass« entdeckte. Ich beobachtete Silver scharf. Aber ich konnte nicht auf den Boden seiner Seele blicken, unerfahren wie ich damals war. Er war zu schlau, zu gewitzt für mich. Als die beiden Männer atemlos mit der Meldung zurückkamen, dass sie die Spur des Flüchtlings in der Menge verloren hätten, wurden sie von Silver wie ein paar Schuljungen ausgescholten und ich schwor wieder auf die Unschuld von Long John.

»Das ist eine höchst fatale Sache, Hawkins«, sagte er. »Was wird Käpt'n Trelawney dazu sagen? Sitzt dieser verrufene Bursche hier in meinem Haus und trinkt von meinem Rum! Du kommst dazu und sagst es mir und doch läuft uns dieser Spitzbube davon! Ich hoffe, Hawkins, dass du dem Käpt'n die Sache wahrheitsgetreu erzählen wirst; du bist zwar noch ein Junge, aber doch verständig wie ein Alter. Frag dich aber einmal selbst, was ich hätte tun können, ich, der ich hier auf diesem alten Holz herumhumple? Wäre ich noch ein Seemann wie früher, hätte ich ihn im Handumdrehen eingeholt und ihm ein Paar Handschellen angelegt. Jetzt –«

Ganz plötzlich unterbrach er seine Rede, als wäre ihm etwas Neues eingefallen.

»Die Zeche!«, platzte er heraus. »Drei Gläser Rum? Da habe ich, weiß der Kuckuck, ganz vergessen, dass mir der Bursche auch mit der Zeche durchgegangen ist!«

Er ließ sich auf eine Bank nieder und lachte, bis ihm die Tränen die Wange herunterliefen.

Ich konnte mir nicht helfen, ich musste mitlachen und so lachten wir beide, bis das Lokal von unserer Heiterkeit widerhallte.

»Was bin ich für ein alter Esel«, sagte er endlich und wischte sich die Wangen ab. »Wir werden gut miteinander auskommen, Hawkins, denn ich gebe dir mein Wort, dass ich mich wie ein Schiffsjunge verhalten habe. Genug

ROBERT L. STEVENSON

jetzt und fertig. Pflicht ist Pflicht, Kameraden. Ich werde meinen Dreimaster aufstülpen und mit dir zu Kapitän Trelawney gehen und ihm den Vorfall erzählen. Wir haben uns beide nicht mit Ruhm bedeckt, junger Hawkins, wie ich zu meiner Schande gestehen muss. Das mit der Zeche war aber doch ein guter Witz!«

Er begann wiederum so herzlich zu lachen, dass ich, obwohl ich den Witz nicht verstand, von Neuem in sein Lachen einstimmen musste. Auf unserem Weg längs des Hafens erklärte er mir die Takelung der verschiedenen Schiffe, welchen Tonnengehalt sie hatten und welchem Land sie angehörten. Alles erklärte er mir. Dort war eines beim Ausladen, ein anderes wurde beladen und ein drittes machte sich fertig, in See zu stechen. Dazwischen erzählte er mir drollige Anekdoten von Schiffen und Matrosen oder er wiederholte einen seemännischen Ausdruck so oft, bis er sich in meinem Gedächtnis eingeprägt hatte. Mit Vergnügen sah ich, dass sich ein besserer Schiffskamerad gar nicht denken ließ.

Als wir zum Gasthaus kamen, saßen der Squire und Doktor Livesey gerade bei einem Glas Bier beisammen, bevor sie sich zu einer kritischen Musterung des Schoners an Bord begeben wollten.

Long John erzählte den Zwischenfall. Er blieb vollständig bei der Wahrheit, nur hier und da trug er die Farben lebhafter auf. »War es nicht so, Hawkins?«, fragte er mich dann und wann und ich musste ihm jedes Mal beipflichten.

Die beiden Herren bedauerten die Flucht des Schwarzen Hundes, waren aber mit uns der Ansicht, dass sich nichts daran ändern ließ. Nachdem sie Long John für seinen Bericht gedankt hatten, nahm er seine Krücke und verabschiedete sich.

»Alle Mann müssen heute Nachmittag um vier Uhr an Bord sein«, rief ihm der Squire nach.

»Jawohl, Sir«, antwortete der Koch.

»Ich muss Ihnen gestehen, Squire«, sagte Doktor Livesey, »wenn ich auch sonst Ihrer Menschenkenntnis nicht ganz vertraue, dieser Silver gefällt mir! Nun«, fügte der Doktor hinzu, »kann Jim gleich mit uns an Bord kommen, wenn es Ihnen recht ist.«

»Natürlich ist es mir recht«, entgegnete der Squire. »Nimm deinen Hut, Hawkins, und dann aufs Schiff!«

9

Die *Hispaniola* lag eine kleine Strecke vom Hafen entfernt vor Anker. Auf dem Weg zu ihr kamen wir an Galionsfiguren und Schiffsbugen vorüber, deren Ankertaue wir zuweilen mit unserem Kiel streiften. Endlich legten wir bei unserem Schiff an, wo Offizier Arrow, ein gebräunter, schielender Seemann mit Ohrringen, uns an Bord half und begrüßte. Er und der Squire schienen dicke Freunde zu sein, ein Verhältnis, das aber, wie ich bald entdeckte, zwischen Mr Trelawney und dem Kapitän nicht bestand.

Kapitän Smollett war ein entschlossen aussehender Mann, der an allen und jedem an Bord etwas auszusetzen hatte und sich beeilte, uns seine Gründe dafür mitzuteilen. Wir waren kaum in der Kajüte, als ein Matrose anklopfte.

»Kapitän Smollett möchte gern mit Ihnen sprechen, Sir«, sagte er.

»Ich stehe dem Kapitän immer zu Diensten, führt ihn herein«, entgegnete der Squire.

Der Kapitän folgte seinem Boten auf dem Fuß.

»Nun, Kapitän Smollett, was haben Sie uns zu sagen? Es ist doch hoffentlich alles in Ordnung. Ist das Schiff seetüchtig?«

»Es ist immer das beste, Sir«, entgegnete der Kapitän, »selbst auf die Gefahr hin, Anstoß zu erregen, eine offene Sprache zu führen. Darum sage ich, mir gefällt die Fahrt nicht, mir gefällt die Mannschaft nicht und mir gefällt mein Offizier nicht. Kurz, ich bin nicht zufrieden.«

»Vielleicht gefällt Ihnen das Schiff auch nicht?«, fragte der Squire ärgerlich.

»Darüber kann ich nicht urteilen, Sir«, versetzte der Kapitän, »da ich es noch nicht erprobt habe. Es scheint aber ein tüchtiges Fahrzeug zu sein, mehr als das kann ich nicht sagen.«

»Vielleicht, Sir, gefällt Ihnen auch der Eigentümer des Schiffes nicht?«, fuhr der Squire fort.

Da mischte sich Doktor Livesey in die Unterhaltung.

»Sachte, sachte«, sprach er, »solche Fragen können nur böses Blut hervorrufen. Der Kapitän hat entweder zu viel oder zu wenig gesagt und ist uns darum auf jeden Fall eine Erklärung schuldig. Sie sagen, dass Ihnen die Fahrt, die wir vorhaben, nicht gefällt. Warum nicht?«

»Ich wurde engagiert, Sir, um die Fahrt, wie wir so sagen, auf versiegelte Order hin zu unternehmen, und das Schiff, den Weisungen dieses Gentleman gemäß, nach einem unbekannten Ort zu bringen«, sagte der Kapitän. »So weit ist alles gut. Jetzt aber stellt sich heraus, dass die Mannschaft mehr von der Fahrt weiß als ich selbst. Ich nenne das ungehörig oder nennen Sie es vielleicht anders?«

»Nein«, antwortete Doktor Livesey.

»Weiter«, fuhr der Kapitän fort, »höre ich, dass unsere Fahrt einem vergrabenen Schatz gilt, höre es – bedenken Sie es wohl! – von meinen eigenen Matrosen. Fahrten aber, die der Entdeckung eines verborgenen Schatzes gelten, sind sehr heikle Aufgaben und finden nicht meinen Beifall, besonders wenn ein Geheimnis damit verbunden und dieses Geheimnis – nichts für ungut, Mr Trelawney – ausgeplaudert worden ist. Ich bin der Ansicht, dass keiner von beiden Herren die volle Bedeutung des Unternehmens erkannt hat. Es handelt sich aber, das sage ich Ihnen ehrlich, um Tod oder Leben. Wir werden von Glück sprechen können, wenn wir mit dem Leben davonkommen.«

»Sie mögen vielleicht recht haben«, entgegnete Doktor Livesey. »Wir nehmen die Gefahr auf uns, unterschätzen sie aber durchaus nicht in dem Maß, wie Sie glauben. Aber nun weiter. Sie sagen, dass Ihnen die Mannschaft nicht gefällt. Sind es denn keine guten Seeleute?«

»Sie gefallen mir nicht, Sir«, versetzte der Kapitän, »und ich bin ferner der Ansicht, dass ich mir meine Mannschaft hätte selbst aussuchen sollen.«

»Vielleicht wäre das richtiger gewesen«, antwortete der Doktor. »Mein Freund hat aber keineswegs die Absicht gehabt, Sie zu verletzen. Und Mr Arrow gefällt Ihnen auch nicht?«

»Nein, Sir. Er mag ein guter Seemann sein, aber er gibt sich zu viel mit der Mannschaft ab, um ein guter Offizier zu sein. Ein Offizier soll sich zurückhalten und für sich bleiben, er soll auch nicht zusammen mit der Mannschaft vor dem Mast trinken!«

»Sie glauben, dass er trinkt?«, rief der Squire.

»Nein, Sir«, entgegnete der Kapitän. »Er ist mir nur zu vertraulich mit den Matrosen.«

»Der langen Rede kurzer Sinn?«, fragte der Doktor.

»Sie sind fest entschlossen, Gentlemen, diese Fahrt anzutreten?«

»So fest wie Eisen«, antwortete der Squire.

»Gut«, sagte der Kapitän. »Dann hören Sie mich einen Augenblick an. Die Leute bringen das Pulver und die Waffen aufs Vorderschiff. Es gibt aber einen sehr guten Aufbewahrungsort hier unter der Kajüte. Warum die Munition also nicht hierher bringen? – Erster Punkt. Dann höre ich weiter, dass vier Ihrer eigenen Leute an Bord kommen, die vorne bei der Mannschaft schlafen sollen. Warum geben Sie ihnen nicht die Kojen hier neben der Kajüte? – Zweiter Punkt.«

»Kommt noch mehr?«, fragte Mr Trelawney.

»Noch etwas«, sagte der Kapitän, »es ist bereits viel zu viel ausgeplaudert worden.«

»Viel zu viel«, stimmte ihm der Doktor bei.

»Ich will Ihnen sagen, was ich selbst gehört habe«, fuhr Kapitän Smollett fort. »Sie haben eine Karte von einer Insel, auf der rote Kreuze die Stellen anzeigen, wo der Schatz vergraben ist. Die Insel selbst liegt –«, er nannte uns die genaue geografische Länge und Breite.

»Ich habe niemandem auch nur ein Sterbenswort davon gesagt!«, rief der Squire erregt aus.

»Die Leute wissen es, Sir«, antwortete der Kapitän.

»Livesey, das müssen Sie oder Hawkins gewesen sein«, behauptete der Squire.

»Es tut nichts zur Sache, wer es war«, versetzte der Doktor und ich sah, dass weder er noch der Kapitän großes Gewicht auf Mr Trelawneys Beteuerungen legten. Auch ich wusste, wie redselig der Squire war. Doch glaube ich, dass er in diesem Fall wirklich unschuldig war und niemandem die Lage der Insel verraten hatte. »Nun, Gentlemen«, fuhr der Kapitän fort, »kommt der dritte Punkt: Ich weiß nicht, wer von Ihnen diese Karte hat, mache es jedoch zur Bedingung, dass sie sowohl mir wie Offizier Arrow ein Geheimnis bleibt. Sonst müsste ich um meine Entlassung ersuchen.«

»Jetzt verstehe ich Sie«, sagte der Doktor. »Sie wollen, dass niemand hinter das Geheimnis kommt und dass wir das Achterschiff in eine Art Festung verwandeln sollen, die durch die eigenen Leute meines Freundes verteidigt werden kann und zu diesem Zweck mit Pulver und Waffen ausgerüstet wird. Mit anderen Worten, Sie fürchten eine Meuterei?«

»Entschuldigen Sie, Sir«, sagte Kapitän Smollett, »wenn ich Ihnen das Recht bestreite, meine Worte in diesem Sinn zu deuten. Kein Kapitän, Sir, der eine solche Behauptung aussprächе, dürfte, sofern sich diese auf Tatsachen stützt, überhaupt mit seinem Schiff in See gehen. Offizier Arrow halte ich für einen ehrlichen Menschen, auch einige Matrosen, wie es ja vielleicht alle sein kön-

ROBERT L. STEVENSON

nen. Ich bin aber für die Sicherheit des Schiffes und das Leben jedes Einzelnen an Bord verantwortlich. Es gehen Dinge hier vor, die ich nicht billigen kann. Ich ersuche Sie darum, gewisse Vorsichtsmaßregeln zu ergreifen oder mir meinen Abschied zu geben.«

»Kapitän Smollett«, begann der Doktor lächelnd, »haben Sie je die Fabel von dem Berg und der Maus vernommen? Sie nehmen es mir hoffentlich nicht übel, wenn ich Ihnen sage, dass Sie mich an diese Fabel erinnern. Ich setze meine Perücke zum Pfand, dass Sie noch etwas anderes vorhatten, als Sie zu uns kamen.«

»Doktor«, sagte der Kapitän, »Sie haben es erraten. Als ich hier eintrat, glaubte ich, dass meine Entlassung gewiss sei. Ich ließ es mir nicht träumen, dass Mr. Trelawney mich so ruhig anhören würde.«

»Das hätte ich auch nicht getan!«, rief der Squire. »Wäre Livesey nicht hier gewesen, hätte ich Sie zum Teufel geschickt. So aber habe ich Sie angehört und will nach Ihrem Wunsch handeln. Dass Sie mir gefallen, will ich aber nicht behaupten.«

»Das mögen Sie halten, wie Sie wollen, Sir«, sagte der Kapitän. »Sie werden finden, dass ich meine Pflicht tue.« Und damit ging er fort.

»Trelawney«, sagte der Doktor, »gegen alle meine Erwartungen glaube ich, dass Sie zwei ehrliche Männer auf Ihrem Schiff haben – den Kapitän und John Silver.«

»Silver? Meinetwegen, ja«, rief der Squire ärgerlich aus, »den anderen aber halte ich für einen unerträglichen Dickkopf und erkläre sein Auftreten für unwürdig, unseemännisch und ganz und gar unenglisch.«

Als wir auf Deck erschienen, hatte die Mannschaft begonnen, unter lautem Jo-ho-ho die Waffen und das Pulver umzuladen. Der Kapitän und der Steuermann führten die Aufsicht.

Diese Arbeit war noch in vollem Gang, als die letzten Matrosen und mit ihnen Long John in einem Boote vom Lande ankamen.

Der Koch kletterte flink wie ein Affe an Bord. »Aber was macht ihr da, Kumpels?«, war seine erste Frage, als er sah, was vorging.

»Wir laden das Pulver um, John«, antwortete einer.

»Verdammt noch einmal!«, rief Long John. »Damit werden wir noch die Frühflut versäumen!«

»Meine Anordnungen!«, sagte der Kapitän kurz. »Ihr könnt nach unten gehen, Mann, die Leute wollen ihr Abendbrot haben.«

»Jawohl, Sir«, antwortete der Koch, griff nach seiner Mütze und verschwand sofort in Richtung der Küche.

»Das ist ein guter Mann, Kapitän«, sagte der Doktor.

»Höchstwahrscheinlich, Sir«, entgegnete Kapitän Smollett.

»Vorsichtig, Männer, vorsichtig!«, wandte er sich an die Matrosen, die das Pulver umluden, und fuhr dann, als er plötzlich mich gewahrte, fort:

»He, du Schiffsjunge, marsch fort mit dir zum Koch, er soll dir was zu tun geben!«

Als ich forteilte, hörte ich ihn zum Doktor sagen:

»Ich dulde keine Vetternwirtschaft auf meinem Schiff.«

Ich versichere dem Leser, dass ich mit dem Squire über

den Kapitän einer Meinung war und dass ich ihn gründlich verabscheute.

10

Die ganze Nacht hindurch hatten wir alle Hände voll zu tun, um die Ladung bis zum letzten Stück zu verstauen. Dazwischen kam ein Boot nach dem anderen zum Schoner: Die Freunde des Squires, an ihrer Spitze der frühere Besitzer der *Hispaniola*, Mr. Blandly, wünschten ihm eine glückliche Reise und eine sichere Rückkehr. Nie hatte ich im »Admiral Benbow«, auch wenn die Gaststube voll mit Gästen gewesen war, eine so schwere Nachtarbeit leisten müssen.

Ich war todmüde, als der Bootsmann kurz vor Tagesanbruch der Mannschaft mit der Pfeife das Signal zum Ankeraufwinden gab. Aber selbst wenn ich zweimal so müde gewesen wäre, hätte ich das Deck doch nicht verlassen, so neu und interessant war mir alles – die kurzen Kommandorufe, die schrillen Töne der Pfeife und die bei dem trüben Schein der Schiffslaternen auf ihre Plätze laufenden Matrosen.

»Jetzt, Bratspieß, stimm ein Lied an«, rief jemand.

»Das alte Lied«, rief ein Zweiter.

»Ja, Kumpels, ja«, entgegnete Long John, der mit der Krücke unter dem Arm dem Treiben auf Deck zusah, und begann die mir so wohl bekannte Weise:

»Fünfzehn Mann auf des toten Manns Kiste –«

Die ganze Mannschaft sang den Refrain im Chor mit.

Und bei dem dritten »Ho!« legten sie sich mit einem Ruck gegen die Handspeichen im Gangspill.

So aufgeregt ich auch war, der Gesang des Liedes rief die Erinnerung an den alten »Admiral Benbow« in mir wach. Es war mir, als hörte ich die Stimme Bill Bones', wie er die Gäste zum Mitsingen aufforderte. Bald war der Anker aufgezogen und befestigt, rasch füllte der Wind die Segel und auf beiden Seiten begannen Land und Schiffe unserem Blick zu entschwinden. Bevor ich noch für eine kurze Stunde Schlaf in meine Koje ging, hatte die *Hispaniola* ihre Fahrt zu der Schatzinsel angetreten.

Wir hatten Glück. Der Schoner bewährte sich als ein gutes seetüchtiges Schiff, die Mannschaft bestand aus tüchtigen Seeleuten und der Kapitän verstand sein Geschäft. Ehe wir aber unser fernes Ziel erreichten, trugen sich mehrere Vorfälle zu, die Erwähnung verdienen.

Mr Arrow verhielt sich noch schlimmer, als der Kapitän befürchtet hatte. Er konnte sich keine Autorität verschaffen, die Matrosen achteten ihn nicht und taten mit ihm, was sie wollten. Das war aber keineswegs das Ärgste. Denn kaum waren wir einen oder zwei Tage auf See, erschien er mit trübem Blick, geröteten Wangen, stammelnder Zunge und allen anderen Kennzeichen der Trunkenheit auf Deck. Wieder und wieder musste er strafweise in seine Koje geschickt werden. Manchmal stürzte er im Rausch und verletzte sich, manchmal stand er den ganzen Tag nicht von seinem Bett auf. Doch dann war er unvermutet einen oder zwei Tage nüchtern und kam seinen Pflichten wenigstens leidlich nach.

Wir fanden nie heraus, woher er sich den Rum nahm, der ihn zugrunde richtete. Es schien das große Schiffsgeheimnis zu sein. So scharf wir ihn auch beobachteten, wir vermochten es nicht zu lösen. Fragten wir ihn auch danach, so lachte er uns hell ins Gesicht, wenn er betrunken war, während er in nüchternem Zustand feierlich schwor, dass nie etwas anderes als nur Wasser über seine Lippen käme.

Er war nicht nur nutzlos als Offizier und ein böses Beispiel für die Mannschaft, sondern es lag auch auf der Hand, dass es mit ihm ein böses Ende nehmen würde, wenn er so weitertrank. Niemand war daher überrascht oder besonders betrübt, als er in einer dunklen Nacht bei stürmischer See verschwand und nicht mehr gesehen wurde.

»Über Bord?«, fragte der Kapitän. »Nun, Gentlemen, das spart uns die Mühe, ihn in Eisen zu legen.«

Jetzt fehlte uns aber der Schiffsoffizier und wir mussten diesen Posten einem Matrosen übertragen. Der Bootsmann Job Anderson eignete sich am besten dazu und wurde der Nachfolger des ertrunkenen Arrow, wenngleich er seinen alten Titel beibehielt. Mr Trelawney hatte sich auf seinen Seereisen viele nautische Kenntnisse erworben und ging darum bei schönem Wetter häufig selbst auf Wache. Auch der Schiffszimmermann Israel Hands, ein vorsichtiger, gewissenhafter alter Seemann, konnte mit jeder Aufgabe betraut werden. Hands war sehr vertraut mit Long John Silver, und da ich nun bei unserem Schiffskoch

»Bratspieß«, wie ihn unsere Leute nannten, angelangt bin, will ich von ihm sprechen.

An Bord trug er seine Krücke gewöhnlich an einer Schnur um den Hals, um beide Hände frei zu haben. Es lohnte sich ihm zuzusehen, wie er seine Krücke fest gegen die Küchenwand stemmte und sich selbst darauf stützte und jeder Bewegung des Schiffes nachgab. Dabei hantierte er so geschickt zwischen seinen Töpfen und Pfannen herum wie der beste Koch auf festem Land. Noch seltsamer aber war es, ihn bei Sturm und Wetter über das Deck gehen zu sehen. An den breitesten Stellen hatte er sich Seile spannen lassen, »Long Johns Ohrringe« genannt. Daran schwang er sich vorwärts, bald bewegte er sich nur mit den Händen, bald gebrauchte er die Krücke, bald schleppte er diese an der Schnur nach und doch kam er mindestens ebenso schnell vorwärts wie ein gesunder Mann mit zwei Beinen. Dennoch gab es einige Matrosen, die schon früher mit ihm zur See gefahren waren, die seinen kläglichen Zustand bedauerten.

»Bratspieß ist kein gewöhnlicher Mann«, sagte der Schiffszimmermann zu mir, »er ist in seinen jungen Tagen auf guten Schulen gewesen und kann, wenn er Lust dazu hat, sprechen wie ein gedrucktes Buch. Und tapfer – ein Löwe ist nichts im Vergleich zu Long John! Allein und unbewaffnet hat er es mit vieren aufgenommen und ihnen die Köpfe zerschlagen, das habe ich mit eigenen Augen gesehen.«

Die ganze Mannschaft achtete ihn und folgte seinen Befehlen. Er besaß eine eigene Gabe, mit den Leuten zu reden und jedem eine Gefälligkeit zu erweisen. Gegen mich trug er stets die gleiche, unveränderte Freundschaft zur Schau und freute sich immer, mich in der Küche zu sehen, die er spiegelblank hielt und in deren Ecke ein Käfig mit einem Papagei stand.

»Komm herein, Hawkins«, sagte er dann wohl, »und lass dir vom alten John ein Garn erzählen. Keiner ist mir so willkommen wie du, mein Sohn. So setz dich doch nieder und hör zu. Hier ist Käpt'n Flint – ich nenne meinen Papagei nach dem berühmten Käpt'n Flint –, hier ist Käpt'n Flint, der unserer Fahrt ein glückliches Gelingen vorhersagt. Nicht war, Käpt'n?«

Und der Papagei schrie dann schnell hintereinander: »Goldene Escudos! Goldene Escudos! Goldene Escudos!«, bis John ein Taschentuch über den Käfig warf.

»Zweihundert Jahre mag er alt sein, Hawkins«, sagte er, »meist leben sie noch länger. Und wenn einer mehr Gottlosigkeit gesehen hat als er, kann es nur der Teufel selbst sein. Dieser Vogel ist schon mit England gesegelt, dem großen Kapitän England, dem Seeräuber. Er ist in Madagaskar und Malabar, in Surinam, Providence und Portobello gewesen. Er war beim Bergen der schiffbrüchigen, mit Gold und Silber beladenen spanischen Schiffe zugegen und hat dort auch – es ist gar kein Wunder – das Wort von den goldenen Escudos gelernt, deren es dreimal hundertfünfzigtausend Stück gab, Hawkins! Er war Zeuge des Angriffs auf das Schiff des indischen Vizekönigs bei Goa und doch sieht er so unschuldig aus wie ein neugeborenes Kind. Du hast aber Pulver gerochen, nicht wahr, Käpt'n?«

»Macht euch fertig zum Entern!«, kreischte der Papagei laut.

»Ja, er ist ein ordentlicher Seefahrer«, fuhr der Koch fort und gab ihm Zucker aus seiner Tasche, als Dank dafür hackte der Vogel nach den Gitterstangen und begann zu fluchen.

Das Verhältnis zwischen dem Squire und dem Kapitän war nicht besser geworden. Der Squire machte kein Geheimnis aus seiner Aversion. Der Kapitän sprach nur, wenn er angeredet wurde, kurz und trocken und nicht ein Wort zu viel. Er gab zu, dass er sich in der Mannschaft geirrt habe. Die Matrosen waren flott bei der Arbeit, wie er es sich nicht besser hätte wünschen können, und benahmen sich alle ziemlich anständig. In das Schiff hatte er sich geradezu verliebt. Aber allen Lobesreden über den Schoner pflegte er hinzuzusetzen: »Ich sage weiter nichts. Wir sind noch nicht zu Hause und diese Fahrt gefällt mir nicht.«

Bei diesen Worten machte der Squire gewöhnlich kehrt und marschierte in hochmütiger Haltung auf dem Deck auf und ab.

»Ich werde explodieren«, rief er aus, »wenn ich das noch oft hören muss!«

Die Fahrt verlief nicht ganz ohne Stürme und die *Hispaniola* konnte ihre guten Eigenschaften beweisen. Jedermann an Bord schien zufrieden zu sein und die Matrosen hatten alle Ursache dazu. Es ist mein fester Glaube, dass noch nie eine Schiffsmannschaft so sehr verwöhnt wurde wie die unsere, seit Noah in seine Arche stieg. Beim geringsten Anlass wurden doppelte Grogrationen ausgeteilt und auch an Wochentagen gab es Pudding, wenn der Squire zum Beispiel hörte, dass ein Mann Geburtstag hatte. Außerdem stand immer ein mit Äpfeln gefülltes, riesiges Fass zur allgemeinen Verfügung an Deck und jeder, der gerade Appetit auf einen Apfel hatte, brauchte nur hineinzugreifen.

»Ich habe noch nie gehört, dass daraus Gutes entstanden ist«, sagte der Kapitän zu Doktor Livesey. »Wer die Mannschaft am Vorderdeck verwöhnt, schafft sich seine Teufel selbst, das ist mein Glaube.« Dennoch brachte uns das Apfelfass Gutes, wie ich sogleich erzählen will. Ohne das Apfelfass hätten wir nicht die leiseste Warnung erhalten und wären alle durch Verrat umgekommen.

Wir waren in das Gebiet der Passatwinde gekommen, in dem die Insel lag – näher darf ich mich über sie nicht äußern –, und steuerten nun gerade auf sie zu. Nach unseren Berechnungen trennte uns nur mehr ein Tag von unserem Ziel. In der Nacht oder spätestens am Vormittag des nächsten Tages musste die Schatzinsel in Sicht kommen. Wir steuerten Südsüdwest, hatten einen stetigen Wind im Rücken und eine ruhige See. Die *Hispaniola* rollte gleichmäßig dahin und tauchte dann und wann ihren Bugspriet in den aufschäumenden Gischt. Jedermann an Bord befand sich in der besten Stimmung, weil wir nun bald den ersten Teil unseres Abenteuers hinter uns haben würden.

Die Sonne war untergegangen. Als ich mit meiner Arbeit fertig war und in die Koje gehen wollte, fiel mir ein, dass ich eigentlich Lust hatte, vor dem Schlafen noch einen Apfel zu essen. Ich lief auf Deck. Die Leute der Wache standen vorn und hielten Ausguck nach der Insel. Der Mann am Steuer beobachtete die Segel und pfiff dabei leise vor sich hin. Das war, außer dem leisen Glucksen der See gegen den Bug und die Seiten des Schiffes, der einzige Laut in der vollkommenen Stille des Abends.

Ich kletterte in das Apfelfass hinein, entdeckte aber, dass kaum noch ein Apfel übrig geblieben war. Das Plätschern des Wassers und das sanfte Schaukeln des Schiffes übten im Dunkeln eine einschläfernde Wirkung auf mich aus. Ich war halb eingenickt, als sich ein schwerer Mann geräuschvoll vor dem Fass niedersetzte. Die Dauben zitterten, als er seinen Rücken dagegenlehnte. Ich wollte gerade hinausklettern, als der Mann zu reden anfing. Es war Silvers Stimme. Bevor ich noch ein Dutzend Worte gehört hatte, hätte ich um keinen Preis der Welt meinen Schlupfwinkel verlassen, sondern blieb, wo ich war, von Furcht und Neugierde gepackt, zitternd und angestrengt lauschend. Denn dieses Dutzend Worte hatte mir verraten, dass ich das Leben aller ehrlichen Männer auf dem Schiff in meiner Hand hielt.

11

»Nein, ich nicht«, sagte Silver. »Flint war Kapitän und ich trotz meines Stelzbeins Quartermeister. Dieselbe Breitseite, die den alten Pew sein Augenlicht kostete, hat mir mein Bein weggerissen. Es war ein gelernter Doktor, der es mir abgenommen hat – von der Universität, hatte Latein studiert und was weiß ich noch alles –, aber er wurde doch wie ein Hund gehängt und trocknete wie die Übrigen in der Sonne. Das waren Käpt'n Roberts' Männer und ihr Unglück kam daher, dass sie ihren Schiffen andere Namen gegeben hatten – *Fortuna* usw. Ich aber sage, wenn ein Schiff einmal getauft ist, soll es seinen Namen behalten. *Kassandra* behielt ihn und brachte uns sicher von Malabar nach Hause, nachdem Kapitän England den Vizekönig von Indien gefangen genommen hatte, und so war es auch mit Flints Schiff, der alten *Walross*, die ich rot von Blut und bis an den Rand mit Gold gefüllt gesehen habe.«

»Ja«, rief bewundernd eine andere Stimme, die dem jüngsten Matrosen an Bord gehörte, »Flint war die Krone aller Seeräuber!«

»Auch Davis war ein Mann, der sich sehen lassen konnte«, sagte Silver. »Ich bin aber nie mit ihm zusammen gesegelt. Zuerst mit Kapitän England, dann mit Flint und jetzt hier, sozusagen auf eigene Rechnung und Gefahr. Bei England ersparte ich mir neunhundert, bei Flint zweitausend Pfund. Das ist für einen Mann vor dem Mast gar nicht schlecht – und alles sicher in der Bank angelegt. Es kommt nicht auf das Verdienen, sondern auf das Sparen an. Wo steckt Englands Mannschaft jetzt? Ich weiß es nicht. Wo Flints Mannschaft? Nun, die meisten davon sind hier an Bord, froh, dass sie den Schiffspudding bekommen – haben doch einige vorher betteln müssen. Der alte Pew, der sein Augenlicht verloren hat und es besser hätte wissen sollen, gab in einem Jahr zwölfhundert Pfund aus, wie ein Lord. Wo steckt er jetzt? Tot und eingescharrt; schon vor zwei Jahren war der Mann am Verhungern. Er bettelte und stahl und spielte den Strauchräuber und hungerte bei alledem. Pfui Teufel!«

»Ja, so ist es. Das Geschäft lohnt sich nicht«, stimmte der junge Seemann zu.

»Für die Dummen lohnt es sich nicht«, rief Silver. »Doch gib acht. Du bist zwar noch jung, aber doch verständig wie ein Alter. Das habe ich gleich entdeckt, als ich dich zum ersten Mal sah, und darum spreche ich zu dir wie zu einem Mann.«

Man denke sich, wie mir zumute war, als ich diesen alten Halunken einem anderen genauso schmeicheln hörte wie mir bei unserem ersten Zusammentreffen. Inzwischen sprach er weiter, ohne zu ahnen, dass er belauscht wurde.

»Wie geht's denn gewöhnlich mit den Glücksrittern? Sie führen ein raues Leben und riskieren, dass man sie aufhängt. Sie essen und trinken wie die Reichen, und wenn eine Fahrt vorüber ist, haben sie Hunderte von Pfunden anstatt ein paar Hundert Pennies in ihren Taschen. Die meisten von ihnen jedoch vertrinken und verschwenden ihr Geld und gehen dann, wenn sie kaum noch ein Hemd auf dem Rücken haben, wieder zur See. Das ist aber nicht mein Kurs, ich lege all mein Geld sicher an, hier etwas, dort etwas, doch, um keinen Argwohn hervorzurufen, nirgends zu viel. Ich bin jetzt fünfzig Jahre alt, und wenn ich von dieser Reise zurückgekehrt bin, will ich wie ein Gentleman leben. Es wird auch Zeit dazu, sagst du, aber ich habe in der Zwischenzeit behaglich gelebt, mir nie etwas versagt, wonach mein Herz Verlangen trug, in weichen Betten geschlafen und alle Tage die besten Sachen gegessen – natürlich wenn ich nicht auf See war. Und wie fing ich an? Vor dem Mast wie du!«

»Alles schön und gut«, sagte der andere, »aber ist nicht

jetzt dein ganzes erspartes Geld verloren? Nach dieser Fahrt darfst du dich in Bristol nicht mehr sehen lassen.«

»Wo glaubst du denn, dass es jetzt liegt?«, fragte Silver spöttisch.

»In Bristol natürlich, in Banken oder sonst wo«, antwortete sein Gefährte.

»Dort ist es gelegen«, sagte der Koch, »als wir den Anker lichteten. Jetzt aber hat es meine Frau. Das ›Spy-glass‹ ist samt der Schankkonzession und dem Inventar verkauft und meine Alte ist auf und davon und wartet anderswo auf mich. Ich könnte dir den Ort nennen, denn ich verlasse mich auf dich, aber ich möchte die Kumpels nicht eifersüchtig machen.«

»Kannst du dich denn auf die Alte verlassen?«, fragte der andere.

»Glücksritter«, entgegnete der Koch, »verlassen sich in der Regel wenig aufeinander und haben dazu auch wenig Anlass, das wird mir jeder zugeben. Bei mir ist es etwas anderes. Keiner betrügt so leicht den alten John. Mancher hatte vor Pew Angst, mancher vor Flint, Flint selbst aber vor mir. Angst hatte er und war doch stolz auf mich. Flints Mannschaft war die verwegenste, die je zur See fuhr; der Teufel selbst würde sich vor ihr gefürchtet haben. Und das mit vollem Recht. Ich sage dir, ich bin kein Prahlhans und kein Aufschneider und du siehst selbst, wie umgänglich ich bin; als ich aber dort Quartermeister war, bekamen Flints alte Seeräuber das Wort ›Lämmer‹ von mir nicht zu hören. So ging es früher auf dem Schiff des alten John zu.«

»Um die Wahrheit zu gestehen«, entgegnete der Bursche, »unser Vorhaben wollte mir durchaus nicht gefallen, aber jetzt hast du mich überzeugt. Hier ist meine Hand, John Silver.«

»Du bist ein tapferer und kluger Bursche«, antwortete Silver und schüttelte die dargebotene Hand so kräftig, dass das ganze Fass erzitterte, »und nie hat ein Glücksritter ein ansprechenderes Aussehen gehabt.«

Allmählich fing ich an zu verstehen, was ihre Worte bedeuteten. Ein Glücksritter war in ihrer Sprache offenbar nicht mehr und nicht weniger als ein gewöhnlicher Seeräuber. Das Gespräch, das ich mit angehört hatte, war der letzte Akt in der Verführung eines der wenigen, wenn nicht des letzten treuen Matrosen an Bord. Über diesen Punkt sollte ich bald Gewissheit erhalten. Silver ließ einen leisen Pfiff hören, ein dritter Mann trat näher und setzte sich zu den beiden.

»Dick steht auf unserer Seite«, sagte Silver.

»Oh, ich wusste, dass Dick zu uns gehört«, antwortete die Stimme des Zimmermanns Israel Hands. »Dick ist doch kein Narr.« Er schob seinen Priem auf die andere Seite und spuckte aus. »Eins möchte ich aber wissen, Bratspieß, wie lange werden wir noch wie ein abgetakeltes Boot untätig sein? Ich habe genug von Käpt'n Smollett. Er hat mir, zum Teufel, ordentlich zugesetzt. Ich möchte jetzt selbst in der Kajüte wohnen, die guten Sachen essen und Wein dazu trinken!«

»Israel«, sagte Silver, »du hast keinen Verstand und nie welchen gehabt. Du hast aber Ohren zum Hören, meine ich, zumindest sind sie groß genug. Höre jetzt, was ich dir sage: Du wirst vorn bei den Matrosen schlafen und mit der Schiffskost vorliebnehmen, höflich sprechen und dich nüchtern halten, bis ich das Zeichen gebe. Danach wirst du dich richten, mein Sohn.«

»Sage ich denn, dass ich es nicht tun will?«, knurrte der Zimmermann. »Ich will nur wissen, wann du das Zeichen geben wirst. Weiter sage ich ja nichts.«

»Wann! Verdammt!«, rief Silver aus. »Wenn du es durchaus wissen willst, so will ich es dir sagen. Soweit es von mir abhängt, im allerletzten Augenblick und das ist dein ›wann‹. Haben wir nicht einen ausgezeichneten Seemann, Käpt'n Smollett, der das ganze vortreffliche Schiff für uns segelt? Weiß ich, wo der Schatz liegt, oder weißt du es vielleicht? Wofür haben wir denn diesen Squire und den Doktor mit der Karte an Bord, als dass sie uns den Schatz finden und an Bord bringen helfen? Einmal so weit, wollen wir schon weitersehen. Wenn ich euch Mistkerlen nur trauen dürfte, sollte uns Kapitän Smollett noch den halben Weg zurücksegeln, ehe ich losschlüge.«

»Ich sollte meinen, wir sind doch lauter Seeleute hier an Bord«, sagte Dick.

»Wir sind alle nur einfache Leute vom Vorderdeck, willst du sagen«, wies ihn Silver zurecht. »Wir können wohl einen Kurs steuern, wer aber soll ihn uns bestimmen? Das ist der Punkt, den ihr Gentlemen alle, einer wie der andere, vergesst. Ginge es nach mir, müsste uns Kapitän Smollett wenigstens bis in die Passatwinde zurückbringen, dann gäbe es keine falschen Berechnungen und keine gekürzten Wasserrationen, mit einem Löffel Wasser pro Mann und Tag. Ich weiß aber, was ihr für eine Sorte seid. Darum will ich, so schade es auch ist, auf der Insel abrechnen, sobald sich unsere kostbare Fracht an Bord befindet. Ihr seid ja nicht glücklich, wenn ihr euch nicht betrinken könnt. Ich habe es satt, noch länger mit solchen Burschen, wie ihr seid, zu segeln.«

»Sachte, Long John, immer sachte!«, rief Israel. »Was ist dir in die Quere gekommen?«

»Wenn ihr nur wüsstet, wie viele große Schiffe ich schon habe kapern, wie viele schmucke Burschen ich schon am Hinrichtungsdock in der Sonne habe trocknen sehen! Und alles nur wegen dieser verwünschten Über-stürzung. Hört ihr mich! Ich habe viel auf See erlebt, das versichere ich euch. Wenn ihr euren Kurs nur nach dem Winde steuern wolltet, könntet ihr in eigenen Kutschen fahren, so aber nicht! Dafür kenne ich euch zu gut. Ihr müsst euch mit Rum betrinken, und wenn ihr dafür bau-meln solltet.«

»Wir wissen alle, dass an dir ein Prediger verloren ge-gangen ist, John. Aber es gibt noch andere, die ebenso gut kommandieren und steuern können wie du«, sagte Israel, »und die sich nicht aufs hohe Ross setzen und uns den Spaß verderben, sondern sich des Lebens freuen wie alle lustigen Burschen.«

»So«, sagte Silver, »wo sind sie denn? Pew war einer von der Sorte und er starb als Bettler. Flint gleichfalls und er starb an zu viel Rum in Savannah. Es war wirklich eine fröhliche Mannschaft; ich frage aber nur, wo ist sie denn heute?«

»Aber«, wollte Dick jetzt wissen, »was werden wir mit ihnen anfangen, wenn es einmal losgeht?«

»Endlich!«, rief der Koch bewundernd aus, »Dick hat

wenigstens noch Sinn fürs Geschäft. Nun, was meint ihr? Ob wir sie einfach an Land setzen und ihrem Schicksal überlassen? Kapitän England hätte das getan. Oder ob wir sie abstechen wie die Schweine? Das würden Flint oder Billy Bones getan haben.«

»Billy war der Mann dafür«, sagte Israel. »›Tote Männer beißen nicht‹ war seine Redensart. Er ist nun selbst tot und hat die Wahrheit seines Spruches an sich selbst erfahren. Wenn je ein Halsabschneider in den Hafen einlief, so war es Billy.«

»Du hast recht«, sagte Silver, »er war ein echter Halsabschneider. Doch hört mir gut zu: Ich bin zwar eine nachsichtige Seele, ein vollkommener Gentleman, wie ihr sagt, diesmal aber handelt es sich um ernste Sachen. Pflicht ist Pflicht, Kumpels. Ich stimme darum für den – Tod. Wenn ich im Parlament sitze und in meiner Kutsche fahre, will ich keinen dieser Querulanten aus der Kajüte plötzlich zu Hause auftauchen sehen wie den Teufel im Gebet. Ich bin fürs Warten, aber auch, wenn die Zeit gekommen ist, fürs Zuschlagen!«

»John«, rief der Zimmermann aus, »du bist wirklich ein Mann!«

»Du wirst es noch erleben, Israel«, sagte Silver herablassend. »Nur – eine Forderung stelle ich – ich verlange Trelawney für mich. Ich will ihm seinen Kalbskopf mit diesen Händen vom Körper reißen. – Dick«, fügte er hinzu, »zeige dich als guten Jungen und hole mir einen Apfel aus dem Fass. Meine Kehle ist trocken.«

Man kann sich meinen Schrecken vorstellen! Hätte ich die Kraft dazu gehabt, wäre ich hinausgesprungen und davongelaufen. Aber Körper und Geist ließen mich beide im Stich. Schon hörte ich Dick aufstehen, als ihn jemand anhielt und Hands ausrief: »Halt, Silver, wir haben genug von diesem widerlichen Zeug. Trinken wir lieben einen tüchtigen Schluck Rum.«

»Dick«, sagte Silver, »ich traue dir. Ich habe einen Schlauch am Fass. Hier ist der Schlüssel, fülle einen Krug und bring ihn herauf.«

Nun wusste ich, dass sich der ertrunkene Offizier auf diese Weise den Rum verschafft hatte, der sein Tod gewesen war.

Als Dick fort war, flüsterte Israel angeregt und leise mit dem Koch. Ich konnte nur wenige Worte verstehen, aber was ich hörte, war wichtig genug. Er sagte nämlich: »Die anderen wollen nicht mitmachen.« Ich schloss daraus, dass es noch treue Leute an Bord gab.

Als Dick zurückkehrte, machte der Krug die Runde bei dem Kleeblatt. Der eine von ihnen trank auf gutes Glück, der andere auf den alten Flint, und Silver brachte einen gereimten Trinkspruch vor, in dem er die Trinker selbst hochleben ließ und ihnen gutes Wetter, zahlreiche Prisen und reichlichen Pudding wünschte.

Ein heller Schein fiel in das Fass. Als ich aufblickte, sah ich, dass der Mond aufgegangen war und den Besantopp und das Focksegel mit seinem Silberlicht beschien. Fast im gleichen Augenblick schrie die Stimme des Mannes im Ausguck: »Land ahoi!«

12

Aus der Kajüte und dem Matrosenlogis stürzte alles an Deck. Ich hörte das eilige Hin- und Herlaufen, die schweren Schritte klobiger Matrosenstiefel, und im allgemeinen Wirrwarr schlüpfte ich schnell aus dem Fass. Ungesehen schlich ich mich nach hinten und stieß auf Hunter und Doktor Livesey, die zum Bug liefen.

Dort waren bereits alle Matrosen zusammengeströmt. Beim Aufgang des Mondes hatte sich der leichte Nebel zerteilt. Südwestlich von uns sahen wir in der Ferne zwei niedrige, einige Meilen voneinander entfernte Hügel, hinter denen sich ein dritter, höherer Hügel erhob, dessen Spitze noch in Nebel gehüllt war. Die drei Hügel zeichneten sich scharf vom Horizont ab und waren steil und kegelförmig.

Ich sah alles wie in einem Traum, denn noch steckte mir die Todesangst in den Gliedern. Dann hörte ich, wie Kapitän Smollett mit ruhiger Stimme Befehle erteilte. Die *Hispaniola* wurde einige Striche näher an den Wind gelegt und segelte einen Kurs nach der Ostseite der Insel.

»Und nun, Leute«, sagte der Kapitän, als alle seine Befehle ausgeführt waren, »hat einer von euch das vor uns liegende Land vielleicht schon früher einmal gesehen?«

»Ja, Sir«, sagte Silver. »Ich habe dort mit einem Handelsschiff, auf dem ich Koch war, Wasser getankt.«

»Liegt nicht der Ankerplatz im Süden hinter einer kleinen Insel?«, fragte der Kapitän.

»Ja, Sir, sie heißt Skeleton Island und war früher ein Zufluchtsort für Seeräuber. Ein Mann an Bord wusste uns viel von der Insel zu erzählen. Den nördlichen Hügel dort nannten sie den Fore-mast-Hill. Im Ganzen sind es drei Hügel, der Fore-mast-, der Main-mast- und der Mizzen-mast-Hill, die von Norden nach Süden in einer Reihe laufen. Den Main-mast-Hill aber – jenen großen da mit der Wolke darüber – nannten sie meist das Spyglass, weil sie dort einen ständigen Wachposten hatten, wenn sie auf dem Ankerplatz ihre Schiffe reinigten und ausbesserten.«

»Ich habe eine Karte hier«, sagte Kapitän Smollett. »Seht einmal, ob alles stimmt!«

Die Augen von Long John funkelten, als er die Karte in die Hand nahm. Aber aus dem neuen Aussehen der Skizze erriet ich, dass er enttäuscht sein würde. Es war nicht die Karte, die wir in Billy Bones' Kiste gefunden hatten, sondern eine genaue Kopie, die alle Angaben über Namen, Höhen und Peilungen enthielt, auf der aber die roten Kreuze und die geschriebenen Anmerkungen fehlten. So bitter enttäuscht Silver auch gewesen sein mag, er besaß Selbstbeherrschung genug, es zu verbergen.

»Ja, Sir«, sagte er, »das ist genau der richtige Platz und recht hübsch aufgezeichnet. Wer kann die gemacht haben? Die Seeräuber waren viel zu ungebildet dazu. Da steht es ja: Capt. Kidd's Anchorage – genau der Name, den mir mein Schiffskamerad nannte. Dort gibt es eine starke Strömung, die erst südlich und dann nördlich längs der Westküste hinfließt. Sie haben es klug gemacht, Sir«, fügte er hinzu, »dass Sie von Osten um die Insel herumfahren, so gehen Sie der Strömung und der Brandung aus dem Weg.«

»Ich danke Euch, Silver«, antwortete Kapitän Smollett,

ROBERT L. STEVENSON

»ich werde Euch später um Euren Rat fragen, jetzt könnt Ihr gehen.«

Ich war über die Kaltblütigkeit überrascht, mit der John eingestanden hatte, dass er die Insel kannte. Als ich ihn auf mich zukommen sah, erschrak ich. Er konnte nicht wissen, dass ich ihn vom Apfelfass aus belauscht hatte. Dennoch empfand ich solchen Abscheu vor seiner Grausamkeit, Falschheit und der geheimnisvollen Macht über die anderen Männer, dass ich kaum ein Schaudern verbergen konnte, als er seine Hand auf meine Schulter legte.

»Ja«, sagte er, »jetzt sind wir bei unserer Insel angelangt. Einen schöneren Fleck Erde als diesen gibt es nicht für einen jungen Burschen, um an Land zu gehen. Du kannst dort baden und auf die Bäume klettern, Ziegen jagen und auf die Berge steigen. Beim Anblick dieser Insel fühle ich mich selber wieder jung. Es ist schön, jung zu sein und zehn Zehen zu besitzen, das kannst du mir glauben. Wenn du eine kleine Entdeckungsreise antreten willst, so brauchst du es mir nur zu sagen. Long John wird dir gern ein Bündel Proviant mitgeben.«

Er klopfte mir freundlich auf die Schulter und humpelte dann nach vorn.

Kapitän Smollett, der Squire und Doktor Livesey plauderten auf dem Hinterdeck. Sosehr ich wünschte, ihnen mein Geheimnis anzuvertrauen, wagte ich es doch nicht, die Herren vor den Augen aller Matrosen anzureden. Während ich mir noch den Kopf zerbrach, was ich tun sollte, rief mich Doktor Livesey zu sich. Er hatte seine Pfeife in der Kajüte liegen lassen und wollte mich bitten, sie heraufzuholen. Sobald ich ihm aber so nahe war, dass keiner der Matrosen meine Worte verstehen konnte, stieß ich hervor: »Doktor, lassen Sie mich reden. Bitten Sie den Kapitän und den Squire, nach unten in die Kajüte zu gehen, und senden Sie dann unter irgendeinem Vorwand nach mir. Ich habe schreckliche Mitteilungen.«

Der Doktor verfärbte sich ein wenig, war aber schon im nächsten Augenblick wieder völlig Herr seiner selbst.

»Danke, Jim, das war alles, was ich wissen wollte«, sagte er laut, als hätte er mich um eine Auskunft gebeten.

Dann wandte er mir den Rücken zu und schloss sich den beiden andern wieder an. Eine kleine Weile berieten sie sich. Obwohl keiner von ihnen sichtlich erschrak oder mit lauterer Stimme als gewöhnlich sprach, war mir doch klar, dass Doktor Livesey sie von meiner dringenden Bitte unterrichtete. Schon im nächsten Augenblick erteilte der Kapitän Job Anderson den Befehl, alle Mann an Deck zu pfeifen.

»Leute«, rief Kapitän Smollett, »ich hab ein Wort mit euch zu reden. Das Land, das wir in Sicht bekommen haben, ist die Insel, nach der wir ausgesegelt sind. Squire Trelawney, ein nobler und freigebiger Herr, wie ihr alle wisst, hat soeben einige Fragen an mich gerichtet. Da ich ihm sagen konnte, dass jedermann an Bord seine Pflicht getan hat, wie ich es noch nie besser gesehen habe, so wollen er und ich und der Doktor nach unten in die Kajüte gehen, um auf euer Wohl und eure Gesundheit zu trinken. Ihr werdet Grog bekommen, um auf unser Wohl und unsere Gesundheit zu trinken. Ich sage offen, was ich davon halte: Ich halte es für sehr großzügig. Und wenn ihr ebenso denkt wie ich, so werdet ihr dem Squire, dem ihr es zu danken habt, ein kräftiges Seemannshoch darbringen!«

Das Hoch folgte – das war ja selbstverständlich; es klang aber so herzlich und ehrlich, dass ich kaum glauben konnte, es wären dieselben Männer, die beschlossen hatten, uns zu töten.

»Und noch ein Hoch für Kapitän Smollett«, rief Long John, als das erste verklungen war. Und auch dieses klang weithin durch die dunkle Nacht.

Die drei Gentlemen verließen die Kommandobrücke und gingen in die Kajüte. Es dauerte nicht lange, so ließen sie mich zu sich kommen.

Sie saßen, als ich eintrat, alle drei um den Tisch, hatten eine Flasche spanischen Wein und einige getrocknete Rosinen vor sich. Der Doktor blies, die Perücke auf seinem Schoß, große Rauchwolken von sich – ein unfehlbares Zeichen, dass er heftig erregt war. Das Achterfenster stand offen, denn die Nacht war warm, und das Mondlicht glitzerte auf dem Kielwasser.

»Nun, Hawkins«, sagte der Squire, »du wolltest uns etwas erzählen.«

Ich folgte der Aufforderung und gab die Einzelheiten von Silvers Unterredung wieder, so kurz ich es vermochte. Niemand unterbrach mich, bis ich fertig war. Auch machte keiner von ihnen die geringste Bewegung, unverwandt sahen sie mich an.

»Jim«, sagte Doktor Livesey, »setz dich.«

Ich musste mich neben sie an den Tisch setzen, sie gossen mir Wein in ein Glas und füllten mir die Hände mit Rosinen. Alle drei, einer nach dem andern und jeder mit einer Verbeugung, tranken auf mein Wohl und versicherten mir um meines Mutes willen ihre Freundschaft.

»Nun, Kapitän«, sagte der Squire. »Ihr habt recht gehabt und ich unrecht. Ich gestehe, dass ich ein Esel war, und erwarte Eure Befehle.«

»Ihr wart nicht dümmer als ich, Sir«, antwortete der Kapitän. »Nie habe ich gehört, dass es eine Mannschaft gibt, die meutern will und sich nicht vorher durch deutliche Anzeichen verrät, die einem verständigen Manne genügen, um danach seine Maßnahmen zu treffen. Diese Mannschaft aber«, fügte er hinzu, »ist mir ein Rätsel.«

»Verzeihung, Kapitän, wenn ich Sie unterbreche«, sagte der Doktor. »Daran ist Silver schuld. Ein höchst merkwürdiger Mann.«

»Er würde sich an einer Rahe oben recht schön ausnehmen, Sir«, versetzte der Kapitän. »Dies ist aber alles nur Geschwätz, das zu nichts führt. Drei oder vier Punkte sind mir klar, und wenn Mr Trelawney nichts dagegen hat, will ich sie aufzählen.«

»Sie, Sir, sind der Kapitän. Es ist Ihre Pflicht zu sprechen«, sagte der Squire würdevoll.

»Erster Punkt«, begann Kapitän Smollett. »Wir müssen vorwärts, weil wir nicht mehr zurückkönnen. Wenn ich den Befehl zum Wenden gäbe, würden die Burschen sich sofort erheben. Zweiter Punkt – sie lassen uns noch Zeit – wenigstens so lange, bis der Schatz gehoben ist. Dritter Punkt – es gibt noch einige treue Matrosen. Und da es früher oder später zum Kampf kommen wird, schlage ich vor, dass wir die Gelgenheit beim Schopf ergreifen und an einem schönen Tag, wenn sie es am wenigsten erwarten, selbst angreifen. Wir können uns doch auf die von ihnen mitgebrachten Diener verlassen, Mr Trelawney?«

ROBERT L. STEVENSON

»Wie auf mich selbst«, erklärte der Squire.

»Drei«, rechnete der Kapitän, »dazu uns und Hawkins hier, macht zusammen sieben. Und dann zu den Matrosen. Welche sind treu?«

»Höchstwahrscheinlich die Leute«, sagte der Doktor, »die der Squire selbst aufnahm, ehe er mit Silver zusammentraf.«

»Das stimmt nicht«, meinte der Squire, »Israel Hands ist auch einer von meinen Leuten.«

»Ich hätte mich unbedingt auf Hands verlassen«, fügte der Kapitän hinzu und fuhr dann fort: »Was ich Ihnen zu sagen habe, ist kein großer Trost. Wir müssen warten und unsere Augen offen halten, so wenig angenehm das auch ist. Wir müssen uns so lange zurückhalten, bis wir unsere Leute kennen. Beidrehen und pfeifen, bis der Wind kommt – das ist meine Ansicht.«

»Jim kann uns mehr als jeder andere nützen«, sagte der Doktor. »Die Mannschaft nimmt sich vor ihm nicht in Acht und er ist ein aufgeweckter Junge.«

»Hawkins, ich habe eine außerordentlich hohe Meinung von dir«, fügte der Squire hinzu.

Niedergeschlagen hörte ich diese Lobreden an, denn in Wirklichkeit fühlte ich mich völlig hilflos. Und doch sollte das merkwürdige Spiel des Zufalls es so fügen, dass ich meine Freunde retten durfte. Vorläufig aber ließ sich nichts daran ändern, so viel wir auch rechneten: Aus einer Zahl von sechsundzwanzig waren wir nun sieben, auf die wir zählen konnten. Von diesen sieben war einer ein Junge, sodass auf unserer Seite nur sechs erwachsene Männer gegen neunzehn auf der anderen Seite standen.

Drittes Buch

DIE LANDUNG AUF DER INSEL

13

Als ich am nächsten Morgen wieder an Deck erschien, bot die Insel ein völlig verändertes Aussehen. Obwohl der Wind jetzt gänzlich abgeflaut hatte, waren wir doch in der Nacht ein gutes Stück gesegelt und lagen nun etwa eine halbe Meile südöstlich der flachen Ostküste. Graue Wälder bedeckten einen großen Teil der Oberfläche. Abwechslung in die eintönige Landschaft brachten nur einige gelbe Sandstriche in der Nähe der Küste und hie und da einige hohe, pinienartige Bäume, die die Wipfel der anderen überragten. Das ganze Bild war trostlos und ungastlich. Die Hügel bestanden aus nackten, kahlen Felsen; alle waren sonderbar geformt, am sonderbarsten aber das Spy-glass. Mit seinen hundert bis hundertzwanzig Metern war es der höchste Berg der ungastlichen Insel. Er stieg von allen Seitensteil auf, war oben flach und sah wie der Sockel einer riesigen Statue aus.

Trotz der herrschenden Windstille rollte die *Hispaniola* hilflos in der Brandung. Die Segel schlugen gegen die Masten und Rahen, das Steuerruder bewegte sich hin und her und das ganze Schiff ächzte und zitterte wie ein riesiger Webstuhl in einer Fabrik. Alles drehte sich vor mir wie im Kreis und ich musste mich an der Reling festklammern. Wenn ich auch bei gutem Wind und Wetter ein ganz tüchtiger Seemann bin, dieses Stampfen und Rollen des Schiffes in den unruhigen Gewässern, noch dazu am frühen Morgen, ließ mich fast seekrank werden.

Vielleicht war es dieses körperliche Unbehagen, vielleicht war es auch das Aussehen der Insel mit ihren melancholischen Wäldern, ihren wilden Felsen und der sich donnernd gegen die steile Küste walzenden, gischtbedeckten Brandung – alle meine Lebensgeister sanken. Die Sonne stand hoch am Himmel und sandte ihre sengenden Strahlen auf uns, Scharen von Seevögeln umschwirrten uns mit lautem Gekreisch, stießen auf das Wasser herab und fischten. Ich hätte froh sein sollen, nach einer so langen Seereise wieder festes Land zu betreten, trotzdem hasste ich den Anblick der Insel!

Uns erwartete für den Morgen harte Arbeit. Da sich auch nicht der leiseste Lufthauch rührte, mussten wir die Boote ins Wasser lassen und bemannen und das Schiff an festen Tauen drei oder vier Meilen weit um eine vorspringende Landspitze herum in die schmale Einfahrt am Skeleton Island vorbei bis zum Ankerplatz hin rudern. Ich schloss mich freiwillig den Matrosen in einem der Boote an, obwohl ich dort nichts zu suchen hatte. Es war unerträglich heiß und die Leute fluchten wütend über die ihnen aufgetragene Arbeit. In meinem Boot führte Anderson den Befehl; statt aber die Leute zu zügeln und zurückzuhalten, lästerte er ebenso laut wie die Schlimmsten von ihnen.

»Ein Glück ist es«, sagte er, »dass diese Schinderei nicht ewig dauert.«

Ich hielt sein Benehmen für ein schlimmes Vorzeichen. Bis zu diesem Tag hatten die Leute gern und willig ihre Pflicht getan. Der Anblick der Insel schien aber alle Zucht gelockert zu haben. Die ganze Zeit über stand Long John neben dem Steuermann und machte den Lotsen. Er kannte die Einfahrt genauso wie das Innere seiner Hand und zögerte keinen Augenblick, wenn der Mann, der mit dem Lotblei die Wassertiefe maß, überall größere Tiefen antraf, als auf der Karte verzeichnet waren.

»Es hat hier tüchtig ausgeebbt«, sagte er nur zur Erklärung. Wir machten genau dort halt, wo der Anker auf Flints Karte eingezeichnet war, das heißt, eine Drittelmeile von der Hauptinsel auf der einen und dem Skeleton Island auf der anderen Seite entfernt. Der Meeresgrund bestand aus reinem Sand. Das Niederrasseln unseres Ankers scheuchte Schwärme von Vögeln in die Höhe, doch ließen sie sich in weniger als einer Minute wieder auf den Bäumen nieder. Tiefes Schweigen herrschte ringsum.

Der Hafen war ganz von Wald umschlossen. Während der Flut reichte das Wasser bis an die Bäume heran. Im Hintergrund der flachen Küste erhoben sich die Hügel. Zwei kleine Flüsse oder besser gesagt zwei Sümpfe leerten ihre trüben Gewässer in diesen Teich, wie man den Hafen eigentlich hätte nennen können.

Nur das Donnern der Brandung, die etwa eine halbe Meile entfernt gegen die Felsklippen prallte, klang zu uns herüber. Ein eigentümlicher Geruch lag über unserem Ankerplatz – ein Geruch von faulenden Baumstämmen und modernden Blättern. Ich bemerkte, wie der Doktor die Luft prüfend einsog.

»Ich weiß nicht, wie es mit dem Schatz steht«, sagte er, »ich setze aber meine Perücke zum Pfand, dass wir hier in einer Fiebergegend sind.«

War schon das Verhalten der Leute im Boot beunruhigend gewesen, so benahmen sie sich an Bord geradezu gefährlich. In Gruppen lungerten sie mürrisch auf dem Deck herum, der unbedeutendste Befehl wurde mit finsterer Miene aufgenommen und mit offenem Widerstreben ausgeführt. Dieser Zustand hatte selbst die treuen Leute angesteckt, denn es war nicht ein einziger Matrose an Bord, der eine Ausnahme gemacht hätte. Die Meuterei schwebte wie ein drohendes Gewitter über uns.

Wir von der Kajüte waren nicht die Einzigen, die den Ernst und die Gefahr der Lage erkannten. Long John ging unverdrossen von einer Gruppe zur anderen, sprach eindringlich auf die widerspenstigen Matrosen ein und gab ein Beispiel, wie man es sich besser nicht hätte wünschen können. Er überbot sich in Bereitwilligkeit und Höflichkeit und hatte ein Lächeln für jedermann. Sobald ein Befehl gegeben wurde, war John mit seiner Krücke sicherlich derjenige, der sich zuerst erhob und ein freundliches »Jawohl, jawohl, Sir!« hören ließ. Und wenn es nichts zu tun gab, stimmte er ein Lied an, um die Unzufriedenheit der anderen zu verbergen.

Von all den schlimmen Anzeichen jenes schlimmen Nachmittags machte dieses dienstbeflissene Verhalten von Long John den schlimmsten Eindruck auf uns.

Wir hielten in der Kajüte Rat.

»Sir«, sagte der Kapitän, »wenn ich noch einen einzigen Befehl erteile, wird die ganze Mannschaft über uns herfallen. Erhalte ich eine grobe Antwort und gebe sie zurück, so geht der Tanz los. Gebe ich sie nicht zurück, wird Silver Verdacht schöpfen, und der Tanz geht gleichfalls los. Wir haben nur einen einzigen Mann, auf den wir uns verlassen können.«

»Und der wäre?«, fragte Trelawney.

»Silver, Sir«, versetzte der Kapitän, »ihm ist ebenso sehr daran gelegen, den Ausbruch offener Feindseligkeit noch zu verhüten. Sie sind jetzt störrisch, er wird es ihnen aber bald ausreden, wenn er nur Gelegenheit dazu hat. Ich schlage darum vor, ihm diese Gelegenheit zu geben. Lassen wir die Leute am Nachmittag an Land. Gehen sie alle, so werden wir versuchen, das Schiff gegen sie zu behaupten; gehen sie nicht, so verteidigen wir die Kajüte und Gott stehe den Gerechten bei. Wenn nur einige von ihnen gehen, so wird Silver, darauf gebe ich mein Wort, sie so sanft wie Lämmer wieder an Bord zurückbringen!«

Der Vorschlag des Kapitäns fand allgemeine Billigung. Alle zuverlässigen Männer erhielten geladene Pistolen. Hunter, Joyce und Redruth, die wir ins Vertrauen zogen, nahmen die schlechte Nachricht gelassen und mit mehr Mut auf, als wir erwartet hatten. Dann begab sich der Kapitän an Deck und hielt folgende Ansprache:

»Leute«, sagte er, »wir haben heute einen heißen Tag gehabt und sind alle müde und missmutig. Ein Ausflug an Land wird darum niemandem schaden, besonders da die Boote noch im Wasser sind. Nehmt also die Beiboote, und wer von euch Lust hat, kann für den Nachmittag an Land gehen. Ein Kanonenschuss wird eine halbe Stunde vor Sonnenuntergang das Zeichen zur Rückkehr geben.«

Die einfältigen Burschen dachten wahrscheinlich, in Gold und Silber zu waten, sobald sie nur das Land betraten. Im Handumdrehen war ihre schlechte Laune wie weggefegt und sie ließen ein Hurra hören, dessen Echo von einem fernen Hügel zurückhallte und erneut ganze Schwärme von Vögeln von ihren Ruheplätzen aufscheuchte.

Der Kapitän war zu klug, den Leuten im Weg zu stehen, und verschwand im nächsten Augenblick vom Deck, wo Silver alle weiteren Anordnungen traf. Der Kapitän handelte weise. Wäre er jetzt an Deck geblieben, hätte er sich nicht länger so stellen können, als verstände er die Situation noch immer nicht.

Endlich machten sich die Leute auf den Weg. Sechs Matrosen blieben an Bord und die übrigen dreizehn, einschließlich Silver, stiegen in die Boote.

Plötzlich kam mir der erste der tollen Gedanken, die so viel zu unserer Rettung beitrugen. Da Silver sechs Mann zurückließ, lag es einesteils auf der Hand, dass unsere Partei sich des Schiffes nicht bemächtigen konnte, anderenteils aber auch, dass die Kajütenpartei mich für den Augenblick ganz gut zu entbehren vermochte. Mir fiel ein, gleichfalls an Land zu gehen. Im Nu hatte ich mich an einem Tau hinuntergelassen und im nächsten Boot vorn beim Segel niedergekauert. Fast im gleichen Augenblick schon stieß das Boot ab.

Keiner der Ruderer achtete auf mich, nur der Mann am Bug ermahnte mich, den Kopf unten zu halten. Vom andern Boot aber warf Silver einen scharfen Blick herüber und wollte wissen, ob ich es wäre, der da zugestiegen sei.

Das war der Moment, als ich begann, meinen Ausflug zu bedauern.

Die Männer veranstalteten ein wahres Wettrudern zur Küste. Das Boot, in dem ich mich befand, hatte aber einen Vorsprung und war leichter als das andere. Silver war noch mehr als hundert Schritte hinter uns, als wir schon unter den Bäumen am Rande des Wassers dahinfuhren – eine Gelegenheit, die ich benutzte. Ich packte einen Ast, schwang mich an Land und flüchtete ins Dickicht.

»Jim! Jim!«, hörte ich Silver rufen.

Wie man sich aber denken kann, war ich taub für seine Rufe. Springend, halb geduckt brach ich durch das Dickicht, bis mir die Beine den Dienst versagten und ich nicht mehr laufen konnte.

14

Der Gedanke, Long John entkommen zu sein, versetzte mich in fröhliche Stimmung. Ich begann mich neugierig auf der fremden Insel umzusehen.

Ich hatte einen mit Weiden, Schilf und sonderbaren Wassergewächsen bedeckten Sumpfstrich durchquert und befand mich jetzt am Rand eines wellenförmigen, sandigen Landstriches, der sich etwa eine Meile lang hinzog. Pinien wuchsen dort und eine große Zahl kleiner Bäume, die wie Eichen aussahen, aber fahle Blätter wie Weiden hatten. Im Hintergrund lag ein Hügel mit zwei sonderbaren, in der Sonne glänzenden Felsspitzen.

Ich empfand nun die Freude des Entdeckers. Die Insel

war unbewohnt. Meine Schiffskameraden hatte ich hinter mir gelassen, außer Vögeln und Tieren konnte mir kein lebendes Wesen begegnen. Ich schlug unter den Bäumen bald diese, bald jene Richtung ein. Hier und dort bemerkte ich riesige, mir unbekannte Blumen, dann wieder sah ich Schlangen. Eine hob ihren Kopf, und als sie mich sah, zischte sie, nicht unähnlich dem Summen eines Kreisels. Ich ließ mir nicht träumen, dass dies eine der giftigsten Schlangen war und ich das berüchtigte Klappern gehört hatte, dem die Schlange ihren Namen verdankt.

Dann kam ich an ein Dickicht jener niedrigen, seltsamen Bäume, die Eichen glichen. Ihr richtiger Name ist, wie ich später hörte, Lebens- oder Immergrüneichen. Sie wuchsen wie Brombeersträucher im Sandboden, hatten merkwürdig verschlungene Zweige und ihr Laub war so dicht wie ein Schindeldach. Das Dickicht wurde immer ausgedehnter. Es zog sich von der Spitze eines Sandhügels bis an den Rand eines breiten mit Rohr bewachsenen Sumpfes hin. Durch diesen wand sich ein kleiner Fluss, der in den Ankerplatz mündete. Der Sumpf dampfte in der Sonnenhitze und die Umrisse des Spy-glass waren durch den Dunst undeutlich zu erkennen.

Plötzlich kam Leben in das Schilf. Eine Wildente flog quakend auf, eine zweite folgte. Bald hing eine große Wolke schreiender, ängstlich umherflatternder Vögel über dem Sumpf. Ich sagte mir, dass einer meiner Schiffsgefährten sich dem Ufer des Sumpfes näherte, und ich sollte mich nicht getäuscht haben. Kurz darauf hörte ich noch weit entfernt und sehr leise – den Klang einer menschlichen Stimme, die immer deutlicher wurde und näher kam.

Dieser Umstand erfüllte mich mit solchem Schrecken, dass ich mich unter die nächste Lebenseiche verkroch. Dort harrte ich, still wie eine Maus, der weiteren Entwicklung der Dinge.

Eine zweite Stimme antwortete. Dann wieder sprach Silver – dass er es war, erkannte ich jetzt. Er schien eindringlich auf seinen Gefährten einzureden. Der andere unterbrach ihn nur hin und wieder mit einer kurzen Bemerkung. Dem Klang nach zu schließen mussten sie eifrig, ja beinahe leidenschaftlich miteinander reden. Doch ich vermochte keines ihrer Worte zu verstehen.

Dann wurde es still. Die Sprecher hatten wohl haltgemacht oder sich vielleicht niedergesetzt. Auch die Vögel wurden ruhiger und suchten ihre Schlupfwinkel im Sumpf auf.

Nun dämmerte mir die Erkenntnis, dass ich meine Pflicht vernachlässigte. Nachdem ich so töricht gewesen war, mit diesen Verrätern an Land zu gehen, sollte ich mir wenigstens Mühe geben, sie zu belauschen.

Die Richtung, in der ich die beiden zu suchen hatte, erriet ich nicht allein an dem Klang ihrer Stimmen, sondern auch ein paar der aufgescheuchten Vögel, die noch immer unruhig hin und her flatterten, zeigten mir den Weg.

Auf allen vieren kriechend näherte ich mich den beiden langsam und vorsichtig. Endlich kam ich an eine Stelle, wo das Blätterdickicht einen Durchblick auf ein kleines grünes, mit Bäumen bewachsenes Tal dicht neben dem Sumpf gewährte. Dort entdeckte ich Long John in ernster Unterhaltung mit einem anderen Matrosen. Die Sonnenstrahlen fielen senkrecht auf sie nieder. Silver hatte seinen

ROBERT L. STEVENSON

Hut neben sich ins Gras geworfen. Sein großes, glattes, mit Schweißtropfen bedecktes Gesicht wandte sich dem anderen beschwörend zu.

»Kumpel«, sagte er, »ich spreche mit dir, weil ich dich für einen Goldjungen halte, darauf kannst du dich verlassen. Wenn ich nicht wie Pech an dir festhielte, würde ich nicht hier stehen und dich warnen. Es ist zu spät und es gibt kein Zurück mehr. Ich rede, weil ich dir den Hals retten möchte. Wenn das einer von den wilden Burschen wüsste, würde es mir schlecht, verwünscht schlecht gehen. Habe ich recht, Tom, oder nicht?«

»Silver«, sagte der andere und ich bemerkte, dass er hochrot im Gesicht war, und seine Stimme bebte wie ein straff gespanntes Tau im Wind. »Silver«, sagte er, »Ihr seid alt und Ihr seid ehrlich oder steht doch wenigstens in dem Ruf, es zu sein. Ihr habt Geld, was die meisten alten Seeleute nicht haben. Ihr seid auch tapfer, wenn ich mich nicht sehr irre. Und Ihr wollt mir einreden, dass Ihr Euch mit jenem Pack wirklich einlassen wollt? Das ist nicht Euer Ernst. So wahr Gott uns sieht, so wahr würde ich lieber meine Hand verlieren, als wider meine Pflicht handeln –«

Ein plötzlicher Lärm unterbrach ihn. Kaum hatte ich hier einen der treuen Matrosen gefunden, als ich auch schon von dem zweiten erfahren sollte. Ganz unerwartet wurde in der Richtung des Sumpfes ein zorniger Wortwechsel laut, dem ein schrecklicher, lang gezogener Aufschrei folgte. Die Felsen des Spy-glass gaben das Echo wohl zwanzigmal zurück. Schwärme von Sumpfvögeln flogen wieder auf und verdunkelten den Himmel.

Während ich aber noch immer jenen Todesschrei zu hören vermeinte, trat aufs Neue tiefes Schweigen ein. Nur das Flügelschlagen der wieder in ihre Nester fliegenden Vögel und der Donner der fernen Brandung störten die Nachmittagsruhe.

Tom war bei dem Schrei aufgesprungen wie ein Pferd, das die Sporen erhält, Silver aber hatte keine Miene verzogen. Leicht auf seine Krücke gelehnt blieb er stehen, wo er war, und beobachtete seinen Gefährten wie eine zum Angriff bereite Schlange.

»John!«, sagte der Seemann und hielt dabei seine Hand hin.

»Bleib mir vom Leib!«, schrie Silver und sprang mit der Geschwindigkeit und Sicherheit eines geübten Turners einen Fuß zurück.

»Ganz wie Ihr wollt, John Silver«, sagte der andere. »Es zeigt nur Euer schlechtes Gewissen, wenn Ihr Furcht vor mir habt. Um des Himmels willen aber sagt mir, was hatte der Schrei zu bedeuten?«

»Der Schrei?«, versetzte Silver lächelnd. Er war mehr als je zuvor auf der Hut; während seine Augen in dem breiten Gesicht klein wie Stecknadelköpfe wurden, funkelten sie wie Glassplitter. »Der Schrei? Nun, den wird wohl niemand anders als Alan ausgestoßen haben.«

Bei diesen Worten richtete sich der arme Tom wie ein Held in die Höhe.

»Alan!«, rief er, »dann möge Gott mit der Seele eines braven Seemannes Mitleid haben! Und was Euch anbetrifft, John Silver, Ihr wart lange mein Kamerad, seid es aber jetzt nicht mehr. Und wenn ich wie ein Hund ster-

ROBERT L. STEVENSON

ben soll, so will ich in der Erfüllung meiner Pflicht sterben. Ihr habt Alan ermordet, nicht wahr? Ermordet mich auch, wenn Ihr es könnt.«

Der tapfere Bursche wandte dem Koch seinen Rücken zu und schlug die Richtung nach der Küste ein. Er sollte aber nicht weit kommen. Mit einem lauten Schrei klammerte sich John Silver an einem Baumast fest, ergriff seine Krücke und schleuderte sie durch die Luft. Sie traf den armen Tom mit furchtbarer Gewalt zwischen den Schultern. Er streckte seine Hände in die Höhe, stöhnte laut auf und fiel nieder.

Ob er schwer oder nur leicht verletzt war, kann ich nicht sagen. Wahrscheinlich aber war ihm das Rückgrat zerschmettert worden. Er kam nicht wieder zu sich. Auch ohne Bein und Krücke so bähende wie ein Affe stand Silver im nächsten Moment über ihm und zog sein Messer …

Ich weiß nicht, was es heißt, in Ohnmacht zu fallen, das aber weiß ich, dass sich während der nächsten Augenblicke alles wie in einem Nebel um mich drehte: Silver, die Vögel und das hohe Spy-glass. In meinen Ohren brauste es wie von Glockengeläut und ich vermeinte entfernte Stimmen zu hören.

Als ich wieder zu mir kam, hatte das Ungeheuer seine Krücke unter dem Arm, seinen Hut auf dem Kopf und stand da, als ob nichts vorgefallen wäre. Tom lag regungslos vor ihm auf dem Rasen. Das rührte den Mörder, der kaltblütig sein blutbeflecktes Messer an einem Grasbüschel abwischte, nicht im Geringsten. Sonst war alles unverändert wie zuvor. Die Sonne schien noch immer unbarmherzig auf den dampfenden Sumpf und die hohe

Bergspitze nieder. Ich konnte kaum glauben, dass ich einen Augenblick zuvor einen Mord mit angesehen hatte und dass unter meinen Augen ein Menschenleben grausam zerstört worden war.

Jetzt steckte John seine Hand in die Tasche, zog seine Pfeife hervor und gab verschiedene Signale, die weithin durch die heiße Luft hallten.

Ich verstand die Bedeutung nicht, bekam aber schreckliche Angst. Silver rief vielleicht seine Männer herbei, die mich gewiss entdecken würden. Sie hatten schon zwei treue Matrosen erschlagen, vielleicht sollte ich nach Tom und Alan als Dritter an die Reihe kommen.

Ich verließ das Dickicht, in dem ich mich bisher verborgen hatte, und kroch, so schnell ich nur konnte, nach dem freieren Teil des Waldes zurück. Bald darauf hörte ich, wie sich der alte Seeräuber und seine Kameraden laut begrüßten. Die Gefahr, in der ich jetzt schwebte, verlieh mir Flügel. Sobald ich aus dem Dickicht heraus war, lief ich so schnell wie noch nie zuvor in meinem Leben, ohne auf die Richtung meiner Flucht achtzugeben. Es war mir ganz einerlei, wohin ich kam, wenn ich mich nur recht weit von den Mördern entfernte. Meine Furcht wurde immer größer.

Und in der Tat! War ich nicht verloren? Wie konnte ich mich, wenn der Kanonenschuss abgefeuert wurde, hinunter zu den Booten und zurück unter jene Teufel wagen, an deren Händen noch das soeben vergossene Blut klebte? Würde nicht der Erste von ihnen, der mich sah, mir wie einer Schnepfe den Hals umdrehen? Genügte nicht schon meine Abwesenheit allein, um ihnen meine

ROBERT L. STEVENSON

verhängnisvolle Mitwisserschaft zu verraten? Es ist aus mit mir, dachte ich. Lebe wohl, *Hispaniola,* und lebt wohl auch ihr, Squire, Doktor und Kapitän! Mir bleibt nichts anderes als zu verhungern oder unter den Händen der Meuterer zu sterben!

Inzwischen war ich, ohne auch nur einmal anzuhalten oder mich umzusehen, immer weiter gelaufen und fand mich jetzt am Fuße des kleinen Hügels mit den beiden Spitzen. Die Lebenseichen standen in diesem Teil der Insel ziemlich weit auseinander und waren nicht verkrüppelt. Sie glichen ihrem Wuchs und ihrem Umfang nach jetzt eher Waldbäumen. Zwischen den Eichen standen einige Pinien von fünfzehn bis zwanzig Meter Höhe. Die Luft war frischer als unten im Sumpf.

Da ließ ein neuer Schreck mich plötzlich stillstehen und mein Herz bis zum Hals hinauf schlagen.

15

Von dem hier recht abschüssigen, steinigen Hügelabhang kollerte eine Menge kleiner Steine herab und fiel prasselnd zwischen den Bäumen nieder. Unwillkürlich blickte ich nach jener Richtung hin und sah eine Gestalt hinter einem Fichtenstamm. Was es war, ob Bär, Mensch oder Affe, konnte ich nicht erkennen. Es sah schwarz und zottig aus, mehr unterschied ich nicht. Vor Schreck über diese neue Erscheinung blieb ich jäh stehen.

Die Flucht war mir jetzt, so schien es, auf beiden Seiten abgeschnitten: hinter mir von den Mördern und vor mir von diesem lauernden, unbeschreiblichen Geschöpf. Und sofort zog ich die bekannte Gefahr der unbekannten vor. Im Vergleich zu diesem Geschöpf der Wälder erschien mir selbst Silver weniger schrecklich; ich machte also kehrt und lief, während ich mich manchmal umsah, wieder in der Richtung nach den Booten zurück.

Im selben Augenblick erschien die Gestalt wieder und versuchte mir mit einem weiten Bogen den Weg abzuschneiden. Ich war schon recht müde, aber selbst wenn ich frisch wie bei Tagesanbruch gewesen wäre, hätte es mir gegen einen so schnellen Gegner nicht geholfen. Einem Wild gleich sprang das Geschöpf von Stamm zu Stamm. Es lief wie ein Mensch auf zwei Beinen, aber fast bis zum Boden gebückt.

Alle Geschichten fielen mir ein, die ich von Kannibalen gehört hatte. Fast hätte ich laut um Hilfe geschrien. Dann aber beruhigte mich die bloße Tatsache, dass er ein Mensch war, wenn auch vielleicht ein Wilder. Im gleichen Maß wuchs erneut meine Angst vor Silver. Ich blieb deshalb stehen und überlegte, wie ich am besten fliehen konnte, und erinnerte mich plötzlich an meine Pistole. Da ich jetzt nicht länger wehrlos war, fasste ich wieder Mut. Ich wandte mich dem Inselmenschen zu und schritt entschlossen auf ihn los.

Er hatte sich inzwischen hinter einem Baumstamm versteckt. Langsam kam er aber auf mich zu, zögerte, wich wieder zurück, näherte sich abermals und warf sich schließlich zu meiner Verwunderung und Bestürzung vor mir auf die Knie nieder und hielt flehend seine gefalteten Hände in die Höhe.

ROBERT L. STEVENSON

Bei diesem Anblick blieb ich stehen.

»Wer bist du?«, fragte ich.

»Ben Gunn«, antwortete er und seine raue Stimme klang so heiser wie ein verrostetes Schloss. »Ich bin der arme Ben Gunn und habe drei volle Jahre lang kein Sterbenswort mit einer Christenseele gesprochen.«

Ich konnte jetzt sehen, dass er ein Weißer wie ich selbst und der Ausdruck seines Gesichtes freundlich war. Seine Haut war an den der Sonne ausgesetzten Stellen schwarz gebrannt. Schwarz waren auch die Lippen, und seine blauen Augen nahmen sich in dem dunklen Gesicht ganz sonderbar aus. Seine Kleidung war zerlumpt. Er trug Fetzen von alten Schiffssäcken und alter Segelleinwand. Kupferknöpfe, Holzrinden und Schlingen aus geteertem Bindfaden hielten dieses Flickwerk zusammen. Um seine Hüften schlang sich ein alter, mit Messing beschlagener Ledergürtel, der der einzige haltbare Gegenstand seiner Ausrüstung gewesen zu sein schien.

»Drei Jahre!«, rief ich aus. »Warst du denn schiffbrüchig?«

»Nein, Kamerad«, entgegnete er – »ausgesetzt.«

Ich hatte von dieser unter Seeräubern üblichen Strafe gehört. Der Übeltäter wurde mit etwas Pulver und Blei auf einer entlegenen Insel ausgesetzt und seinem Schicksal überlassen.

»Vor drei Jahren ausgesetzt«, fuhr er fort, »und ich habe seither von Ziegen, Beeren und Austern gelebt. Wo immer ein Mann ist, sage ich, kann er sich helfen. Aber, Kamerad, mich hungert nach kräftiger Nahrung. Hast du vielleicht zufällig ein Stückchen Käse bei dir? Nicht? Wie viele Nächte habe ich nicht schon von Käse geträumt, um dann wieder aufzuwachen und zu sehen, dass ich noch immer hier war.«

»Wenn ich je wieder an Bord komme«, sagte ich, »sollst du Käse pfundweise essen.«

Die ganze Zeit hindurch hatte er den Stoff meiner Jacke befühlt, meine Hände gestreichelt, meine Stiefel angesehen und ein kindliches Vergnügen über die Gegenwart eines Mitmenschen an den Tag gelegt. Bei meinen letzten Worten aber sah er mich mit einem Ausdruck argwöhnischer Schlauheit an.

»Wenn du je wieder an Bord kommst, sagst du?«, wiederholte er. »Wer sollte dich davon abhalten?«

»Du sicherlich nicht, das weiß ich«, war meine Antwort.

»Da hast du sehr recht«, schrie er. »Nun, Kamerad, wie heißt du denn?«

»Jim«, antwortete ich ihm.

»Jim, Jim«, sagte er, offenbar ganz zufrieden. »Ja, Jim, ich habe ein so wildes Leben geführt, dass du dich schämen würdest, nur davon zu hören. Wenn du mich ansiehst, denkst du wahrscheinlich kaum, dass ich einst eine fromme Mutter hatte, he?«

»Wirklich!«, antwortete ich, »das sieht man dir in der Tat nicht an.«

»Und doch«, sagte er, »es ist wahr. Ich hatte eine bemerkenswert fromme Mutter und war ein braver, frommer Junge, der seinen Katechismus so schnell herunterzusagen wusste, dass du kein Wort vom anderen hättest unterscheiden können. Und jetzt siehst du, Jim, wie weit es mit

ROBERT L. STEVENSON

mir gekommen ist. Mit dem Unfug auf den geweihten Grabsteinen fing es an, hörte aber damit nicht auf. So ist denn alles eingetroffen, was mir meine Mutter, die fromme Seele, vorausgesagt hat! Und doch war es die göttliche Vorsehung, die mich hierher geführt hat. Ich habe auf dieser verlassenen Insel über vieles nachgedacht. Ich werde keinen Rum mehr anrühren, das heißt, von einem Fingerhut voll abgesehen, den ich bei der ersten Gelegenheit auf mein Glück trinken muss. Ich will wieder ein guter frommer Mensch werden und weiß auch schon, wie ich es anzufangen habe, um einer zu werden. Und, Jim« – er blickte verschmitzt um sich und dämpfte seine Stimme zu einem Flüstern –, »ich bin reich.«

Ich war jetzt überzeugt, dass der Ärmste in der Einsamkeit seinen Verstand verloren hatte. Er muss es mir wohl angesehen haben, denn er wiederholte seine Behauptung in erregtem Ton:

»Reich! Reich, sage ich. Jim, du wirst noch den Tag segnen, an dem du mich gefunden hast. Ja, Jim, ich will einen vermögenden Mann aus dir machen, darauf gebe ich dir mein Wort.«

Plötzlich flog ein Schatten über sein Gesicht. Er umklammerte mit eisernem Griff meine Hand und hob drohend einen Finger in die Höhe.

»Nun, Jim, gestehe die Wahrheit«, fragte er, »du bist doch nicht von Flints Schiff?«

In diesem Augenblick kam mir eine glückliche Eingebung. Ich erkannte, dass ich einen Verbündeten gefunden hatte, und antwortete ihm sofort:

»Nein, es ist nicht Flints Schiff, Flint ist tot. Es sind

aber zu unserem Unglück – ich rede die Wahrheit – mehrere Männer von Flints Besatzung an Bord.«

»Doch nicht etwa ein Mann – mit einer – Krücke?«, keuchte er.

»Silver?«, fragte ich.

»Ja, Silver!«, entgegnete er, »das war sein Name.«

»Er ist Schiffskoch und auch Rädelsführer.«

Ben Gunn hielt noch immer meine Hand umklammert und drückte sie bei diesen Worten heftig zusammen.

»Wenn Long John dich nach mir ausgesandt hat, kann ich mir gleich meinen Sarg zimmern. Weißt du denn, wo du dich eigentlich befindest?«

Ich erzählte ihm nun die ganze Geschichte unserer Reise und verschwieg auch nicht, in welch schwieriger Lage wir uns befanden. Er hörte mir mit lebhaftem Interesse zu und klopfte mir, als ich geendet hatte, auf die Schulter.

»Du bist ein guter Junge, Jim«, sagte er, »und ihr steckt alle in einer üblen Patsche, nicht wahr? Verlasst euch aber auf Ben Gunn – Ben Gunn ist der Mann, der euch helfen wird. Was meinst du, wird der Squire, der in einer so üblen Patsche steckt, wie du selbst zugibst, sich erkenntlich zeigen, wenn ich ihm helfe?«

Ich versicherte ihm, dass man sich einen großmütigeren Menschen als den Squire kaum denken konnte.

»Das ist schon recht«, versetzte Ben Gunn, »mein Sinn ist jedoch nicht darauf gerichtet, ein Torhüter zu werden oder eine Uniform zu tragen. Was ich meine, ist dies: Würde er sich bereit finden, mir von einem Schatz, der schon so gut wie mir gehört, tausend Pfund zu zahlen?«

»Ganz gewiss würde er das«, sagte ich. »Jeder der Matrosen sollte seinen Anteil erhalten.«

»Und würde er mich außerdem noch nach England mitnehmen?«, fügte Ben Gunn mit schlauem Augenblinzeln hinzu.

»Selbstverständlich«, rief ich aus. »Der Squire ist ein Ehrenmann. Sobald wir uns die anderen vom Halse geschafft haben, brauchen wir dich zur Besatzung!«

»Das ist richtig«, sagte er. Er schien sehr erleichtert zu sein.

»Ich will dir jetzt etwas erzählen, aber kein Wort mehr, als zur Sache gehört: Ich war auf Flints Schiff, als er zusammen mit sechs kräftigen Seeleuten den Schatz vergrub. Sie brauchten fast eine ganze Woche zu ihrer Arbeit, während wir auf der alten *Walross* in der Nähe der Küste kreuzten. Eines schönen Tages ging das Signal in die Höhe. Flint kam allein, den Kopf mit einem blauen Halstuch verbunden, in einem kleinen Boot angerudert. Er sah im Schein der gerade aufgehenden Sonne leichenblass aus, aber – gib wohl acht – er kam allein zurück, nachdem er die andern sechs alle getötet und begraben hatte. Wie er es fertiggebracht hat, blieb uns allen an Bord ein Rätsel. Es muss ein wütender Kampf gewesen sein, und er – denk dir – allein gegen sechs! Billy Bones, der Steuermann war, und Long John fragten ihn, wo der Schatz vergraben sei. ›Geht selbst auf die Insel und bleibt dort, wenn ihr wollt‹, sagte er, ›das Schiff aber soll mir noch mehr erbeuten, beim Teufel!‹ Das war seine Antwort.

Vor drei Jahren war ich nun auf einem andern Schiff und wir kamen gerade in die Nähe der Insel. ›Jungen‹, sagte ich, ›dort liegt Flints Schatz vergraben, gehen wir an Land und suchen wir ihn.‹ Der Kapitän wollte nichts davon hören, gab aber nach und landete, da meine Kameraden alle meiner Ansicht waren. Zwölf Tage lang suchten sie nach dem Schatz und wurden mit jedem Tag zorniger auf mich, bis sie endlich eines schönen Morgens alle an Bord gingen. ›Was dich betrifft, Benjamin Gunn‹, sagten sie, ›so hast du hier eine Muskete, einen Spaten und eine Hacke. Du kannst hierbleiben und Flints Gold für dich allein suchen‹, ja, das sagten sie.

Nun bin ich drei Jahre lang hier gewesen, Jim, und habe von jenem Tag an bis heute auch nicht einen Bissen einer Nahrung für einen Christenmenschen gegessen. Schau mich aber einmal gründlich an! Sehe ich wie ein Matrose aus? Nein, sagst du. Und ich bin es auch nicht gewesen, sage ich.«

Er blinzelte mich listig an, versetzte mir einen sanften Rippenstoß und fuhr fort:

»Du wiederholst dem Squire also, was ich dir nun sage, Jim: Drei Jahre lang war er der Herr dieser Insel, bei gutem und schlechtem Wetter, bei Sonnenschein und Regen. Manchmal hat er, so sagst du, gebetet und manchmal auch seiner alten Mutter gedacht, ob sie wohl noch am Leben sei. Den größten Teil seiner Zeit aber hat sich Gunn, und es ist wichtig, dass du dies sagst, mit einer andern Sache beschäftigt. Und dann wirst du ihm einen Stoß geben wie ich jetzt dir.«

Und wiederum puffte er mich vertraulich in die Rippen.

»Dann«, sprach er weiter, »wirst du also fortfahren:

ROBERT L. STEVENSON

Gunn ist ein guter Mann und setzt ein gut Teil mehr Vertrauen – ein gut Teil, vergiss das nicht – in einen Edelmann von Geburt als in all diese Glücksritter, zu denen er selbst gehört hat.«

»Das ist alles gut und schön«, sagte ich, »ich habe aber nicht ein Wort von deiner ganzen Rede verstanden. Darauf kommt es übrigens auch gar nicht an, da ich nicht weiß, wie ich wieder auf das Schiff zurückfinde.«

»Aha«, versetzte er, »liegt da der Hund begraben? Nun, dazu könnte ich dir verhelfen. Ich habe mir nämlich mit diesen meinen beiden Händen selbst ein Boot gezimmert und es unter dem weißen Felsen versteckt. Im schlimmsten Fall könnten wir unser Glück damit versuchen, sobald es dunkel geworden ist. Oho, was war das?«

In diesem Augenblick erwachten nämlich – obwohl es noch ein oder zwei Stunden vor Sonnenuntergang war – sämtliche Echos auf der Insel und warfen brüllend den Donner eines Kanonenschusses zurück.

»Sie kämpfen jetzt«, rief ich aus. »Komm mit mir!«

Ich vergaß meine Furcht und lief nach dem Ankerplatz, während der Mann, der Ben Gunn hieß, an meiner Seite blieb.

»Links, links«, sagte er, »immer links gehalten, Freund Jim! Und immer unter den Bäumen geblieben! Dort ist die Stelle, wo ich meine erste Ziege erlegte. Die Tiere kommen jetzt nicht mehr herunter in die Ebene, sondern bleiben aus Furcht vor Ben Gunn oben in den Bergen. Und dort ist auch der Friedhof. Dann und wann, wenn ich glaube, dass es Sonntag ist, gehe ich dorthin um zu beten. Es ist zwar keine Kapelle da und es gibt auch keinen Kaplan, ja und ich habe noch nicht einmal eine Bibel oder Flagge.« So schwatzte er weiter, während er neben mir herrannte, ohne eine Antwort von mir zu erhalten oder zu erwarten.

Dem Kanonenschuss folgte nach einer beträchtlichen Pause eine Flintensalve.

Wieder eine Pause – dann sah ich plötzlich, kaum eine Viertelmeile entfernt, den Union Jack über den Bäumen wehen.

16

Es war etwa halb zwei – drei Glasen, wie die Seeleute sagen –, als die beiden Boote der *Hispaniola* Richtung Land abstießen. Der Kapitän, der Squire und ich hielten in der Kajüte Rat. Hätte sich auch nur der leiseste Lufthauch geregt, wären wir über die sechs an Bord zurückgebliebenen Meuterer hergefallen, hätten unser Ankertau durchschnitten und dann die offene See aufgesucht. Es fehlte uns aber der Wind. Um unsere hilflose Lage noch zu verschlimmern, brachte uns Hunter die Nachricht, dass Jim Hawkins heimlich in ein Boot geschlüpft und mit den anderen an Land gegangen sei.

Wir zweifelten keinen Augenblick an Jim Hawkins, machten uns aber Sorgen um ihn. Es schien uns sehr fraglich, ob wir den Jungen wieder sehen würden. Wir eilten an Deck. Das Pech schmolz förmlich in den Ritzen und der widrige Modergeruch der Sümpfe machte uns beinahe krank. Wenn Fieber und Ruhr jemals in der Luft lagen, war es auf diesem abscheulichen Ankerplatz der Fall. Die sechs Halunken saßen verdrossen unter einem Segeltuch im Vorderteil des Schiffes. Am Ufer lagen die beiden Beiboote dicht an der Mündung des Flüsschens festgemacht und in jedem saß ein Mann. Einer von ihnen pfiff ein Seemannslied.

Das untätige Warten wurde zur Qual. Wir beschlossen darum, dass Hunter und ich in der Jolle an Land auf Kundschaft fahren sollten. Die Beiboote befanden sich rechts von uns, daher hielten Hunter und ich auf das in der Karte eingezeichnete Blockhaus zu. Unser Erscheinen schien die beiden bei den Booten zurückgelassenen Wächter in merkliche Aufregung zu versetzen. Ich sah, wie sie sich lebhaft gestikulierend unterhielten. Es wäre vielleicht anders gekommen, hätten sie die Boote verlassen und Silver von unserem Kommen unterrichtet, sie hatten aber vermutlich einen bestimmten Befehl erhalten und wagten es nicht, auf eigene Faust zu handeln. Also blieben sie sitzen und der eine pfiff wieder sein Matrosenlied. Vor uns lag ein kleiner Landvorsprung. Ich steuerte um diesen herum. Noch bevor wir landeten, verloren wir die Beiboote aus den Augen. Ich sprang aus der Jolle und zum Schutz gegen die Hitze band ich ein großes Taschentuch um meinen Hut. Die Pistolen hielt ich schussbereit in den Händen.

Ich war noch nicht hundert Schritt gelaufen, als ich auf das Blockhaus stieß.

Dicht unterhalb der Kuppe eines Hügels entsprang eine klare Quelle. Auf diesem Hügel erhob sich ein starkes Blockhaus, das vierzig bis fünfzig Personen Aufnahme gewähren konnte und auf jeder Seite mit Schießscharten für Musketen versehen war. Rings um das Haus war der Wald auf eine beträchtliche Strecke abgeholzt. Eine ein Meter achtzig hohe Palisade ohne Tür oder Öffnung – zu massiv, als dass man sie ohne große Mühe hätte niederreißen können – schloss die Lichtung ab. Die Quelle lag innerhalb der Palisaden, deren Pfosten so weit auseinander standen, dass etwaige Belagerer keinen Schutz dahinter fanden. Die Besatzung des Blockhauses war Angreifern in jeder Weise überlegen. Sie konnte in voller Deckung bleiben und ihre Gegner wie die Rebhühner abschießen. Bewacht und hinreichend mit Lebensmitteln versehen konnte das Blockhaus gegen ein Regiment verteidigt werden.

Besonders verlockend erschien mir der Besitz der Quelle. Denn so gut wir auch in der Kajüte der *Hispaniola* mit ihren Vorräten an Waffen und Munition, an Leckerbissen und Getränken aufgehoben waren, fehlte es uns jedoch an Wasser. Während mir das alles noch durch den Kopf ging, erscholl plötzlich der Todesschrei eines Mannes weithin über die Insel. Obwohl ich den Tod in jeglicher Gestalt auf dem Schlachtfeld kennengelernt habe, begann mein Puls zu rasen.

»Jim Hawkins ist ermordet«, war mein erster Gedanke.

Es ist etwas wert, ein Doktor zu sein. In unserem Beruf heißt es rasch handeln. So fasste ich denn sofort meinen Entschluss, kehrte ohne Zeitverlust nach der Küste zurück und sprang in die Jolle. Zum Glück war Hunter ein tüchtiger Ruderer. Das Boot flog auf dem Wasser nur so dahin und erreichte schnell den Schoner. Ich kletterte an Deck.

Dort fand ich alle in großer Erregung. Der Squire sah

so weiß wie ein Leintuch aus und gab sich die Schuld an unserem Unglück. Einem der sechs Matrosen schien nicht viel besser zumute zu sein. »Der Mann dort«, sagte Kapitän Smollett und deutete auf ihn, »ist noch unverdorben, Doktor. Er fiel beinahe in Ohnmacht, als er den Schrei hörte. Es bedarf nur eines leisen Anstoßes und er läuft zu uns über.«

Ich erzählte dem Kapitän meinen Plan, den ich inzwischen gefasst hatte, und wir besprachen genau alle Einzelheiten, damit nichts schieflaufen konnte.

Der alte Redruth stellte sich mit drei oder vier geladenen Musketen in den gedeckten Gang zwischen Kajüte und dem Logis. Hunter ruderte inzwischen mit dem Boot unter das Heckfenster und Joyce und ich beluden es mit Pulver, Musketen, Säcken mit Schiffszwieback, Fässern mit Pökelfleisch, einem Fass Brandy und meiner unschätzbaren Arzneikiste.

Der Squire und der Kapitän blieben an Deck und Smollett rief den Steuermann an, der die Meuterer an Bord anführte.

»Mister Hands«, sagte er, »wie Ihr seht, haben wir beide jeder ein Paar geladener Pistolen in der Hand. Wenn einer von euch nur das geringste Signal gibt, schießen wir ihn sofort nieder.«

In der ersten Überraschung eilten sie nach einer kurzen Beratung die Treppe hinunter, zweifellos in der Absicht, uns in den Rücken zu fallen. Als sie jedoch Redruth mit seinen geladenen Gewehren zu ihrem Empfang bereitstehen sahen, machten sie kehrt und nur einer von ihnen lugte vorsichtig um die Ecke des Logis herum.

»Zurück, Hund!«, rief der Kapitän.

Der Kopf fuhr sehr schnell zurück und wir hörten von diesen sechs Hasenfüßen einstweilen nichts mehr.

Jetzt hatten wir das Boot so schwer beladen, wie wir es nur wagen durften. Joyce und ich kletterten zum Heckfenster hinaus und ruderten mit dem Aufgebot unserer ganzen Kraft der Küste zu.

Diese zweite Fahrt musste den Wächtern in den Booten ziemlich verdächtig erscheinen; sie hörten abermals auf, ihr Matrosenlied zu pfeifen. Einer von ihnen sprang ans Ufer und verschwand, noch bevor wir um die kleine Landspitze bogen. Am liebsten hätte ich jetzt meinen Plan geändert und ihre Boote zerstört. Ich fürchtete aber, Silver und seine Anhänger könnten allzu nahe sein, und wollte nicht durch dieses Wagnis alles aufs Spiel setzen.

Wir landeten an derselben Stelle und begannen ohne Säumen unsere Vorräte in das Blockhaus zu schaffen. Schwer beladen unternahmen wir alle drei den ersten Gang dorthin und warfen unsere Schätze über die Palisaden. Während Joyce als Wächter mit einem halben Dutzend geladener Musketen im Blockhaus blieb, kehrten Hunter und ich zu der Jolle zurück und bepackten uns zum zweiten Mal. Ohne uns Zeit zum Atmen zu gönnen, schleppten wir alles in das Blockhaus, bis die ganze Ladung untergebracht war. Die beiden Diener blieben zurück und ich ruderte mit all meiner Kraft zu der *Hispaniola*.

Dass wir unser Boot zum zweiten Mal zu beladen wagten, erscheint verwegener, als es wirklich war. Die Meuterer waren uns allerdings in der Zahl überlegen, wir ihnen aber in der Bewaffnung. Auch nicht einer der Leute an Bord trug ein Gewehr bei sich. Ehe sie in Pistolenschussweite kommen konnten, hätten wir vermutlich schon ein halbes Dutzend von ihnen umgelegt.

Der Squire, der jetzt wieder ganz der Alte war, wartete am Heckfenster auf mich. Er befestigte das Boot, das wir dann zum zweiten Mal so rasch beluden, als hinge unser Leben davon ab. Pökelfleisch, Pulver und Zwieback bildeten wiederum die Ladung, zu der je eine Muskete und ein Säbel für den Squire, mich, Redruth und den Kapitän hinzukamen. Die übrigen Waffen und den Rest der Munition warfen wir ins Wasser, das hier nur zweieinhalb Faden tief war, sodass wir den blanken Stahl auf dem reinen Sandgrund in der Sonne flimmern sehen konnten.

Inzwischen hatte die Ebbe eingesetzt und das Schiff begann um den Anker zu schwingen. Aus der Richtung der beiden Beiboote drang schwaches Stimmengewirr zu uns herüber. Es überzeugte uns, dass sich Joyce und Hunter in Sicherheit befanden, trieb uns aber zu noch größerer Eile an.

Redruth gab seinen Beobachtungsposten auf und kletterte in das Boot hinab. Wir ruderten zum Mittelschiff, um Kapitän Smollett von seinem Posten abzulösen.

»Leute«, rief der Kapitän.

Aus dem Matrosenlogis kam keine Antwort.

»Ich meine Euch, Abraham Gray – zu Euch spreche ich.«

Noch immer keine Antwort.

»Gray«, fuhr Mr Smollett etwas lauter fort, »ich verlasse das Schiff und befehle Euch, Eurem Kapitän zu folgen. Ich weiß, dass Ihr im Grunde Eures Herzens ein braver

Kerl seid. Auch meine ich, dass keiner von den Übrigen ganz so schlecht ist, wie er sich stellt. Ich nehme jetzt meine Uhr in die Hand und gebe Euch dreißig Sekunden Zeit, um Euch mir anzuschließen.«

Eine Pause trat ein.

»Komm, guter Junge«, fuhr der Kapitän fort, »und lass nicht so lange auf dich warten. Mit jeder Sekunde gefährde ich mein Leben und das meiner Begleiter.«

Wir hörten den Lärm eines Handgemenges und das Geräusch von Schlägen. Abraham, der aus einer Messerwunde im Gesicht blutete, stürzte herbei. Wie ein Hund, der die Pfeife hört, lief er zum Kapitän.

Im nächsten Augenblick hatten auch er und der Kapitän im Boot Platz genommen. Wir stießen sofort ab und griffen eilig zu den Rudern.

Wir waren wohl mit heiler Haut vom Schiff weggekommen, befanden uns aber noch nicht an Land und in unserem Blockhaus.

17

Diese fünfte Fahrt unterschied sich wesentlich von den früheren. Zunächst war unsere Nussschale von Boot schwer überladen. Fünf erwachsene Männer, drei – Trelawney, Redruth und der Kapitän – über einen Meter achtzig, bildeten schon an und für sich eine größere Last, als es zu tragen vermochte. Dazu kamen noch das Pulver, Pökelfleisch und die Säcke mit Zwieback. Das Boot ging so tief, dass der Wasserspiegel hinten bis an den Rand he-

ROBERT L. STEVENSON

ranreichte. Einige Male schwappte Wasser über Bord und durchnässte meine Kleider. Der Kapitän verteilte uns so auf dem Boot, dass wir das Gleichgewicht halten konnten. Wir wagten kaum zu atmen.

Dazu hatte jetzt die Ebbe eingesetzt. Eine starke Strömung kräuselte leicht die Oberfläche des Wassers und floss westlich durch das Becken und dann südlich durch die Enge, durch die wir am Morgen gefahren waren, in die See. Selbst das unbedeutendste Kräuseln des Wassers bildete eine Gefahr für unser schwer belastetes Fahrzeug; das Schlimmste jedoch war, dass die Strömung uns von unserem richtigen Kurs abbrachte und uns von unserem eigentlichen Landungsplatz hinter der Landspitze forttrieb. Wenn wir ihr nicht mit Erfolg entgegenarbeiteten, mussten wir bei den Beibooten landen, wo die Seeräuber jeden Augenblick wieder auftauchen konnten.

»Es ist mir unmöglich, den Kurs nach dem Blockhaus einzuhalten, Sir«, sagte ich zum Kapitän. Ich saß am Steuer, während er und Redruth ruderten. »Die Strömung drängt uns immer wieder zurück. Könnten Sie nicht ein wenig stärker rudern?«

»Nein, sonst sinkt das Boot«, antwortete er. »Sie müssen aushalten, wenn es Ihnen auch schwerfällt – aushalten, bis die Strömung nachlässt.«

»Die Strömung ist schon nicht mehr ganz so stark, Sir«, meldete nach einer kleinen Weile der im Vorderteil sitzende Matrose Gray. »Vielen Dank, Mann«, antwortete ich, als ob nichts zwischen uns vorgefallen wäre. Wir sahen den Überläufer als einen der unsern an und dachten nicht mehr an das Vergangene.

»Das Geschütz!«, rief der Kapitän plötzlich aus und es schien mir, als ob seine Stimme ein wenig anders als sonst klänge.

»Ich habe auch schon daran gedacht«, sagte ich, in der festen Meinung, dass er eine Beschießung des Blockhauses befürchtete. »Sie werden das schwere Geschütz nie an Land bringen, und selbst wenn sie das fertig bekämen, es nie den Weg durch die Wälder schleppen können.«

»Drehen Sie sich einmal um, Doktor«, versetzte der Kapitän.

Wir hatten unseren langen Neunpfünder gänzlich vergessen und sahen nun zu unserem Schrecken die fünf Halunken eifrig beschäftigt, ihn von seiner Hülle zu befreien, das heißt von dem schweren Segeltuch, das ihn gegen die Nässe schützte. Im gleichen Augenblick durchzuckte es mich wie ein Blitz: Die Kanonenkugeln und das Geschützpulver waren an Bord des Schoners geblieben. Ein einziger Axthieb brachte sie in den Besitz der Meuterer.

»Israel war Flints Kanonier«, sagte Gray mit heiserer Stimme.

Trotz der Gefahr steuerten wir direkt auf den Landungsplatz zu. Wir waren jetzt so weit aus dem Bereich der Strömung heraus, dass das Boot dem Steuer gehorchte und ich auf das Ziel zuhalten konnte. Bei unserem jetzigen Kurs wandten wir der *Hispaniola* nicht mehr das Heck, sondern die Breitseite zu. Damit boten wir ihr ein Ziel so groß wie ein Scheunentor.

Ich hörte nicht nur, sondern sah auch, wie Israel Hands eine Kanonenkugel vor sich auf dem Deck hinrollte.

»Wer ist der beste Schütze?«, fragte der Kapitän.

ROBERT L. STEVENSON

»Zweifellos Mr Trelawney«, sagte ich.

»Mr Trelawney, wollen Sie gefälligst einen jener Männer unschädlich machen? Wenn möglich Hands«, sagte der Kapitän. Trelawney verlor nicht einen Augenblick seine Kaltblütigkeit und zielte sorgfältig.

»Seien Sie vorsichtig mit dem Gewehr, Sir!«, rief der Kapitän, »oder Sie bringen das Boot zum Kentern. Alle Mann aufgepasst, dass das Boot nicht umschlägt, wenn er feuert.«

Der Squire hob sein Gewehr, wir hörten auf zu rudern und beugten uns nach der anderen Bordseite über, um das Gleichgewicht zu halten. Es glückte so gut, dass auch nicht ein Tropfen Wasser ins Boot drang.

Die Meuterer hatten inzwischen das Geschütz gerichtet. Hands, der mit dem Ladestock vorn an der Mündung stand, bot das beste Ziel. Wir hatten jedoch kein Glück. In dem Augenblick, da Trelawney feuerte, bückte sich Hands und die Kugel flog über ihn weg und traf einen der vier anderen.

Der Schrei, den der Getroffene ausstieß, wurde nicht allein von seinen Gefährten an Bord, sondern auch von vielen Stimmen an Land wiederholt. Die anderen Seeräuber stürzten unter den Bäumen hervor und eilten in ihre Boote.

»Die Beiboote kommen, Sir«, sagte ich.

»Rudert schnell«, rief der Kapitän, »einerlei, ob auch das Boot sinkt. Wenn wir das Land nicht erreichen, ist alles verloren.«

»Nur ein Boot wird bemannt, Sir«, fügte ich hinzu. »Die Besatzung des anderen will uns wahrscheinlich die Verbindung mit dem Blockhaus abschneiden.«

»Das macht mir keine Kopfschmerzen, Sir«, versetzte der Kapitän, »Seeleute sind auf dem Land nicht gefährlich, ich fürchte nur das Geschütz. Sagt uns, Squire, wenn Ihr die Leute seht, damit wir das Rudern einstellen.«

Inzwischen waren wir für ein so überladenes Boot ziemlich rasch vorwärtsgekommen und hatten dabei nur wenig Wasser geschöpft. Wir befanden uns schon ganz in der Nähe des Landes; noch etwa dreißig oder vierzig Schläge mit dem Ruder und wir mussten festen Boden unter uns haben. Vor dem Beiboot brauchten wir uns nicht länger zu fürchten, die kleine Landzunge verbarg es bereits unsern Augen. Die Ebbe, die uns so sehr behindert hatte, machte den Schaden wieder gut und hielt nun unsere Feinde auf. Die einzige Gefahr drohte uns von dem Neunpfünder.

»Wenn ich dürfte«, sagte der Kapitän, »würde ich halten und noch einen zweiten Mann unschädlich machen.«

Die Piraten an Bord wollten ihren Schuss um jeden Preis abfeuern. Sie hatten nicht einmal für ihren gefallenen Kameraden einen Blick übrig, obwohl er nicht tot war und sich verzweifelt bemühte fortzukriechen.

»Fertig!«, rief der Squire.

»Halt!«, rief der Kapitän, schnell wie ein Echo.

Er und Redruth legten sich mit aller Kraft nach hinten, sodass das Heck des Bootes ins Wasser tauchte. Der Schuss krachte. Welche Richtung die Kugel nahm, wusste niemand von uns. Ich glaube aber, dass sie hoch über unseren Köpfen dahinflog und der Luftdruck, den sie verursachte, zu unserem Missgeschick beitrug.

Das Boot ging langsam unter und sank auf den Grund

des hier nahezu einen Meter tiefen Wassers. Nur der Kapitän und ich hielten uns auf den Beinen. Die anderen drei fielen der Länge nach ins Wasser, aus dem sie wie begossene Pudel wieder auftauchten.

So weit war das Unglück nicht groß. Wir hatten keinen Verlust an Menschenleben zu beklagen und konnten sicher an Land waten. Aber unsere ganzen Vorräte waren untergegangen und von unseren fünf Gewehren nur zwei in brauchbarem Zustand geblieben. Unwillkürlich hatte ich meines von den Knien aufgerissen und hoch über meinen Kopf gehalten. Der Kapitän hatte das seine an einem Tragband über der Schulter, mit dem Schloss nach oben, getragen. Die anderen drei waren mit dem Boot gesunken.

Schon hörten wir aus dem Wald längs der Küste das immer näher herankommende Gewirr von Stimmen. Uns war dabei nicht wohl zumute. Abgesehen von der Gefahr, in unserem leicht angeschlagenen Zustand vom Blockhaus abgeschnitten zu werden, quälte uns die Ungewissheit, ob Hunter und Joyce sich tüchtig zur Wehr setzen würden, wenn ein halbes Dutzend Seeräuber sie angreifen sollte. Hunter war zuverlässig, das wussten wir. Aber Joyce, ein höflicher, zuvorkommender Diener, verstand nur mit Schuh- und Kleiderbürste umzugehen. Von diesen düsteren Gedanken erfüllt wateten wir, so schnell wir konnten, an die Küste. Wir kümmerten uns nicht mehr um die Jolle, mit der die Hälfte unserer Vorräte an Pulver und Lebensmitteln verloren gegangen war.

18

Wir liefen, so schnell uns unsere Füße tragen wollten, durch den Waldstreifen, der uns vom Blockhaus trennte. Die Stimmen der Piraten kamen näher und näher. Bald konnten wir das Knacken der Baumzweige vernehmen, als sie sich durch das Dickicht ihren Weg bahnten.

Ich sah, dass es zum Kampf kommen würde, und untersuchte mein Flintenschloss.

»Kapitän«, sagte ich, »Trelawney ist der beste Schütze. Gebt ihm Euer Gewehr, seines ist verdorben.«

Sie tauschten ihre Gewehre. Trelawney blieb stehen, schweigsam und kaltblütig, wie er es seit Beginn des Abenteuers gewesen war, und prüfte seine Waffe. Gray trug keine Waffe und ich überreichte ihm meinen Säbel. Es freute uns alle, als wir sahen, wie er in seine Hände spuckte, seine Brauen zusammenzog und die Klinge pfeifend durch die Luft schwang. Wir waren überzeugt, dass unser neuer Gefährte sein Salz und Brot redlich verdienen würde.

Vierzig Schritt weiter, am Rand des Gehölzes, sahen wir das Blockhaus vor uns liegen. Wir erreichten die Palisaden auf der Südseite zur gleichen Zeit, als die Meuterer, mit dem Bootsmann Job Anderson an der Spitze, laut schreiend an der südwestlichen Ecke auftauchten.

Sie hatten uns nicht so früh erwartet und stutzten, als sie uns sahen. Nicht nur der Squire und ich, sondern auch Hunter und Joyce im Blockhaus hatten Zeit, die Gewehre abzufeuern, bevor die Seeräuber sich von ihrem Schrecken erholt hatten. Die vier Schüsse knallten zwar nicht alle auf einmal, erfüllten aber doch ihren Zweck. Einer der Seeräuber stürzte getroffen zu Boden und die übrigen machten ohne Zaudern kehrt und flüchteten in den Wald zurück.

Wir luden unsere Gewehre und gingen entlang der Palisaden zu der Stelle, wo der Gefallene lag. Er war tot – durchs Herz geschossen. Schon wollten wir uns über diesen Erfolg freuen, als aus dem Gebüsch ein Pistolenschuss krachte. Eine Kugel pfiff dicht an meinem Ohr vorüber und der arme Tom Redruth fiel der Länge nach zu Boden. Der Squire und ich erwiderten den Schuss, verschwendeten aber nur unser Pulver, da wir nicht wussten, wohin wir zielen sollten. Wir luden wieder und wandten unsere Aufmerksamkeit dem armen Tom zu.

Der Kapitän und Gray untersuchten ihn. Auf den ersten flüchtigen Blick sah ich, dass es mit ihm zu Ende ging.

Die Schnelligkeit unserer zweiten Salve hatte die Meuterer offenbar verscheucht. Wir hoben den armen Wildhüter über die Palisaden und trugen ihn ins Blockhaus.

Der arme Teufel! Er hatte nicht ein einziges Wort der Überraschung, Klage oder Furcht geäußert, vom ersten Augenblick der Gefahr an bis jetzt, da wir ihn sterbend im Blockhaus niederlegten. Er hatte jeden Befehl schweigend und zu unserer Zufriedenheit ausgeführt; er war wohl um zwanzig Jahre älter als der Älteste von uns und nun war es an dem armen, immer diensteifrigen Mann zu sterben.

Der Squire weinte wie ein Kind, kniete neben ihm nieder und küsste seine Hand.

»Sterbe ich, Doktor?«, fragte der Verwundete.

»Tom«, sagte ich, »Ihr geht heim.«

»Ich wollte, ich hätte ihnen noch vorher eine Kugel verpassen können«, erwiderte er.

»Tom!«, rief Mr Trelawney tränenerstickt, »kannst du mir verzeihen?«

»Das gehört sich doch nicht«, antwortete Tom. »Ihr seid der Squire! Aber wenn Ihr wollt, so sei es. Amen!«

Nach einer Weile des Schweigens bat er: »Möchte nicht jemand ein Gebet für mich sprechen?« Nicht lange darauf verschied er, ohne noch einmal gesprochen zu haben.

Inzwischen hatte der Kapitän aus seinen Taschen die verschiedensten Gegenstände zum Vorschein gebracht: eine britische Fahne, eine Bibel, eine Rolle starken Bindfaden, Feder, Tinte, das Logbuch und einige Pfund Tabak. Innerhalb der Einfriedung hatte er einen von allen Zweigen befreiten Tannenstrunk gefunden, den er mit Hunters Hilfe an der Ecke des Blockhauses aufrichtete, wo die Balken einander kreuzten und einen Winkel bildeten. Dann kletterte er auf das Dach und zog mit eigener Hand die britische Fahne auf.

Das schien ihn sichtlich zu erleichtern. Er kam wieder in das Blockhaus und begann die Vorräte zu zählen. Toms Dahinscheiden ging ihm nahe. Sobald dieser seinen letzten Atemzug getan hatte, holte er eine zweite Flagge hervor und breitete sie liebevoll über die Leiche aus.

»Nehmen Sie es sich nicht so zu Herzen«, sagte er und schüttelte dem Squire die Hand. »Er ist jetzt gut aufgehoben, wie jeder, der in der Erfüllung seiner Pflicht sein Leben lässt.«

»Doktor Livesey«, fuhr er fort, »in wie vielen Wochen erwarten Sie und der Squire das Schwesterschiff?«

ROBERT L. STEVENSON

Ich entgegnete ihm, dies sei nicht eine Frage von Wochen, sondern von Monaten. Blandly hatte die bestimmte Weisung erhalten, das zweite Schiff erst dann auszusenden, wenn wir bis Ende August nicht zurückgekommen waren, nicht früher und nicht später. »Rechnen Sie sich den Tag selbst aus«, sagte ich.

»Ja, ja«, antwortete der Kapitän und kratzte sich dabei den Kopf. »Selbst wenn wir noch ein gut Teil unverhoffter Glücksfälle in Rechnung ziehen, möchte ich sagen, dass wir ziemlich tief in der Tinte sitzen.«

»Wie meinen Sie das?«, fragte ich.

»Jammerschade, Sir, dass wir unsere zweite Bootsladung verloren haben, das meine ich«, versetzte der Kapitän. »Pulver und Blei werden reichen. Aber unser Proviant ist knapp, sehr knapp!«

Er hatte noch kaum ausgesprochen, als wir das laute Krachen eines Schusses hörten und eine Kanonenkugel pfeifend und heulend über das Dach des Blockhauses flog und weit hinter uns im Wald einschlug.

»Oho!«, sagte der Kapitän, »feuert nur so fort! Ihr habt schon jetzt herzlich wenig Pulver, meine Burschen!«

Bei ihrem zweiten Schuss zielten sie schon besser; die Kugel fiel zwischen den Palisaden und dem Blockhaus nieder und wirbelte dabei eine dichte Staubwolke auf, richtete aber sonst keinen Schaden an. »Kapitän«, sagte der Squire, »das Haus ist vom Schiff aus nicht zu sehen, sie müssen also nach der Flagge zielen. Wäre es nicht klüger, sie herunterzunehmen?«

»Die Flagge streichen?«, rief der Kapitän. »Nein, Sir, das gibt es bei mir nicht!« Und diesen Worten stimmten wir alle, wie ich glaube, im Grunde unseres Herzens zu. Die Flagge war nicht nur ein Beweis, dass hier rechtschaffene Engländer und Seeleute waren, sondern zeigte unseren Feinden auch, dass wir ihre Kanonade verachteten, und war somit keine schlechte Taktik.

Das Geschützfeuer dauerte den ganzen Abend an. Eine Kugel nach der anderen flog über uns hinweg oder riss den Sand innerhalb der Umzäunung auf. Da die Geschosse aber stets in den weichen Sand einschlugen, hatten wir ihren Rückprall nicht zu fürchten. Die Meuterer mussten zu steil zielen, um Schaden anrichten zu können. Wenn hin und wieder auch eine Kugel im Dach des Blockhauses einschlug, gewöhnten wir uns doch bald an diese Art von Unterhaltung. Wir maßen ihr keine größere Bedeutung bei als einer Kegelpartie.

»Dies Gepolter hat wenigstens eine gute Seite«, bemerkte der Kapitän: »Wahrscheinlich ist der Wald vor uns von unseren Gegnern frei, die Ebbe hat eine gute Weile angehalten und unsere Vorräte dürften jetzt auf dem Trockenen liegen. Freiwillige vor, um das Pökelfleisch zu holen.«

Gray und Hunter waren die Ersten, die sich meldeten. Wohl bewaffnet schlichen sie sich aus dem Blockhaus, kehrten aber bald wieder unverrichteter Dinge zurück. Die Meuterer waren kühner, als wir dachten, oder setzten außerordentliches Vertrauen in Israels Kanonade. Vier oder fünf von ihnen waren eifrig damit beschäftigt, unsere Vorräte in Sicherheit zu bringen und damit nach einem ganz in der Nähe liegenden Beiboot zu waten, in dem Silver das Kommando führte. Jeder von ihnen trug jetzt eine

Muskete, die aus ihrem geheimen Waffenmagazin stammen musste.

Der Kapitän machte an diesem Tag folgende Eintragung in seinem Logbuch:

»Alexander Smollett, Kapitän; David Livesey, Schiffsarzt; Abraham Gray, Zimmermannsmaat; John Trelawney, Eigentümer; John Hunter und Richard Joyce, beide Diener des Eigentümers und Landbewohner – der ganze treu gebliebene Teil der Schiffsbesatzung – kamen mit Lebensmitteln, die bei kleinen Rationen zehn Tage ausreichen, heute an Land. Sie hissten auf dem Blockhaus der Schatzinsel die britische Flagge. Thomas Redruth, Diener des Besitzers und Landbewohner, wurde von den Meuterern erschossen; Jim Hawkins, Kajütenboy –«

Zur selben Zeit dachte auch ich über das Schicksal des armen Jim Hawkins nach, als ich plötzlich einen Ruf von der Landseite her hörte.

»Es ruft jemand«, sagte Hunter, der die Wache hatte.

»Doktor! Squire! Kapitän! Hallo, Hunter! Seid Ihr das?«, ertönten die Rufe.

Ich kam gerade noch rechtzeitig zur Tür, um Jim Hawkins heil und gesund über die Palisaden klettern zu sehen.

19

Sobald Ben Gunn die Fahne sah, hielt er an, fasste mich am Arm und setzte sich nieder.

»Deine Freunde sind schon da«, sagte er.

»Viel wahrscheinlicher sind es die Meuterer«, antwortete ich.

»Unsinn«, rief er aus. »Auf einem Platz wie diesem hier, den sonst nur Glücksritter aufsuchen, würde Silver die schwarze Flagge hissen, das kannst du mir glauben. Nein, es sind deine Freunde. Es hat auch bereits Kämpfe gegeben und deine Freunde haben vermutlich die Oberhand behalten. Jetzt sind sie hier an Land in dem alten Blockhaus, das Flint vor vielen Jahren gebaut hat. Flint war ein gescheiter Kopf und es hat seinesgleichen nicht wieder gegeben. Er fürchtete sich vor niemandem als höchstens vor Silver, der doch so sanft wie ein Lamm tat.«

»Nun«, antwortete ich nach einer kleinen Pause, »das mag wohl stimmen. Umso mehr Grund habe ich, mich zu beeilen und zu meinen Freunden zu kommen.«

»Nicht so hastig, mein Freund«, versetzte Ben, »nicht so hastig. Du bist ein guter Junge oder ich müsste mich sehr irren. Aber du bist doch ein Junge. Nun ist Ben Gunn nicht dumm. Kein Rum bringt mich dorthin, wohin du gehen willst, solange ich nicht deinen Edelmann gesehen und sein Ehrenwort erhalten habe. Vergiss nur nicht, was ich dir aufgetragen habe.«

Und zum dritten Mal versetzte er mir unter demselben verschmitzten Lachen einen sanften Rippenstoß.

»Und wenn ihr Ben Gunn braucht, so weißt du, wo er zu finden ist, Jim. Gerade dort, wo du ihn auch heute gefunden hast. Und wer zu mir kommt, soll ein weißes Tuch in der Hand halten und allein kommen.«

»Also gut«, sagte ich. »Ich weiß jetzt, was du willst. Du willst etwas vorschlagen und willst mit dem Squire oder dem Doktor sprechen. Du bist dort zu treffen, wo ich dich heute traf. Ist das alles?«

»Du darfst aber nicht die Zeit vergessen, wann ich dort zu finden bin«, fügte er hinzu; »von der Mittagsstunde an bis etwa drei Uhr.«

»Also abgemacht«, sagte ich. »Kann ich jetzt gehen?«

»Du wirst doch nichts vergessen?«, erkundigte er sich ängstlich. »Nein? Nun, dann geh, Jim. Du wirst nicht Ben Gunn verkaufen, wenn du mit Silver zusammenkommen solltest? Wilde Pferde würden dir mein Geheimnis nicht entreißen? Nein, sagst du? Und, Jim, was gilt die Wette, wenn die Piraten an Land schlafen, dass es am Morgen Witwen gibt?«

Ein Kanonenschuss unterbrach ihn. Eine Kugel kam durch die Bäume geflogen und bohrte sich, nicht hundert Schritte von uns entfernt, in den Sand. Wir flohen beide nach verschiedenen Richtungen.

Eine gute Stunde lang krachten die Schüsse und flogen die Kugeln durch das Gehölz. Ich rannte von einem Schlupfwinkel zum anderen, wie mir schien, immer verfolgt von diesen schrecklichen Geschossen. Gegen Ende des Bombardements hatte ich meinen Mut wieder gefunden, wagte mich aber noch nicht zum Blockhaus, weil dort die Kugeln am häufigsten niederfielen. Nach einem langen Umweg an der östlichen Seite verkroch ich mich schließlich im Ufergebüsch.

Die Sonne war untergegangen. Von der See wehte ein frischer Wind, die Blätter im Wald erschauerten und die graue Oberfläche des Ankerplatzes bedeckte sich mit leichten Wellen. Die Flut war noch nicht zurückgekehrt

und große Strecken Sandes lagen vor mir. Nach der Ta-
geshitze war es empfindlich kühl geworden und ich fror
in meiner dünnen Schiffsjacke.

Die *Hispaniola* lag noch immer auf ihrem Ankerplatz,
aber von ihrem Mast wehte jetzt wahrhaftig der »Jolly
Roger«, die schwarze Piratenflagge. Während ich nach
dem Schiff hinüberblickte, blitzte es dort noch einmal auf
und ein neuer Schuss rief das Echo der Insel wach.

Ich blieb noch eine Weile in meinem Versteck liegen
und schaute mir das Treiben am Strand an. Nicht weit
vom Blockhaus zertrümmerten einige Männer unsere
arme Jolle mit der Axt. In etwas größerer Entfernung,
dicht bei der Mündung des Flusses, brannte unter den
Bäumen ein riesiges Feuer. Zwischen dem Land und dem
Schiff war ein Beiboot unterwegs. Die Leute, die ich am
Morgen noch so verdrossen gesehen hatte, jauchzten beim
Rudern wie die Kinder. Der Klang ihrer Stimmen verriet
mir, dass sie Rum getrunken hatten. Endlich glaubte ich
den Rückzug nach dem Blockhaus wagen zu können. Ich
hatte mich ziemlich weit auf die flache, sandige Landzunge vorgewagt, die den Ankerplatz im Osten umschließt
und bei niedrigem Wasserstand mit dem Skeleton Island in Verbindung steht. Jetzt sah ich, fast am Ende der
Landzunge, einen einzelnen hohen, eigentümlich weißen
Felsen aus niedrigem Gebüsch aufragen. Das musste der
weiße Felsen sein, von dem Ben Gunn gesprochen hatte.
Falls wir eines Tages ein Boot brauchten, wusste ich, wo
wir uns eines holen konnten.

Ich schlich entlang des Waldrandes zu der dem Meer
zugewandten Seite der Palisaden, wo mich ein freundli-

cher Empfang erwartete. Bald hatte ich meine Erlebnis-
se erzählt und begann mich umzusehen. Das Blockhaus
war ganz aus rohen Fichtenstämmen gezimmert. Der
Fußboden lag an einzelnen Stellen bis zu einem halben
Meter über der Sandfläche. Nahe der Tür befand sich das
Becken der kleinen Quelle, das aus einem Schiffskessel
bestand, aus dem der Boden herausgeschlagen worden
war.

In einer Ecke der Hütte lagen einige Steine, die, mit
einem alten Eisenrost zum Kochen, als Herd dienten.

Der Platz innerhalb der Umfriedung und die Abhän-
ge des Hügels waren abgeholzt. Die Baumstümpfe ließen erkennen, wie schön hier einmal der Wald gewesen
sein musste. Der Regen hatte den Humusboden nach
dem Ausroden der Bäume zum größten Teil fortgewa-
schen oder unter Treibsand begraben. Nur dort, wo die
Quelle aus dem Kessel hervorplätscherte, unterbrachen
ein grünes Moosbeet und Farne die eintönige Farbe des
Sandbodens. Gleich außerhalb der Palisaden – zu nahe
für unsere Verteidigung – stand der Wald noch hoch und
üppig, auf der Landseite bestand er aus Tannen, auf der
Seeseite aus zahlreichen Lebenseichen.

Der kalte Abendwind blies durch jede Ritze des rohen Gebäudes und bedeckte den Fußboden mit feinen
Sandkörnern. Wir bekamen Sand in die Augen und zwischen die Zähne, Sand in unser Abendessen. Im Becken
der Quelle tanzte er so lustig herum wie Hafergrütze, die
zu kochen anfängt. Als Rauchfang diente ein viereckiges
Loch im Dach. Aber nur ein kleiner Teil des Rauches zog
dort hinaus, der Rest wirbelte im Hause umher, biss uns

in die Augen, dass sie tränten, und reizte unsere Kehlen, sodass wir ständig husten mussten.

Gray trug einen Verband um sein Gesicht. Er hatte einen Messerstich erhalten, als er sich von den Meuterern losriss, der arme Redruth lag noch unbeerdigt steif und kalt unter der britischen Flagge in einer Ecke.

Wären wir müßig herumgesessen, so hätte der allgemeine Trübsinn überhandgenommen; das ließ Kapitän Smollett aber nicht zu. Er teilte uns in Wachen ein. Der Doktor, Gray und ich bildeten die eine, der Squire, Hunter und Joyce die andere. So müde wir alle waren, mussten doch zwei hinaus, um Brennholz zu holen, und zwei weitere ein Grab für Redruth schaufeln. Der Doktor wurde zum Koch ernannt, während ich vor der Tür Posten stand. Der Kapitän selbst ging von einem zum andern, hielt uns bei guter Laune und legte Hand an, wo es gerade nötig war.

Von Zeit zu Zeit erschien der Doktor in der Tür, um frische Luft zu schöpfen und seinen vom Rauch tränenden Augen Linderung zu verschaffen. Jedes Mal richtete er ein freundliches Wort an mich.

»Kapitän Smollett«, meinte er einmal, »ist ein besserer Mensch als ich. Und wenn ich das sage, Jim, so hat das etwas zu bedeuten.«

Ein andermal kam er, blieb schweigend bei mir stehen und sagte erst nach einer Weile:

»Ist dieser Ben Gunn bei vollem Verstand?«

»Ich weiß es nicht, Sir«, sagte ich. »Ich bin mir wirklich nicht ganz klar darüber.«

»Er kann eigentlich nicht ganz zurechnungsfähig sein«, antwortete der Doktor. »Ein Mann, der drei Jahre lang allein auf einer verlassenen Insel gehaust hat, kann nicht so vernünftig sein wie du oder ich. Das liegt nicht in der menschlichen Natur. Sagtest du nicht, er hätte ein so großes Verlangen nach Käse?«

»Ja, Sir, er muss ein rechter Käsefreund sein«, antwortete ich etwas zögernd.

»Da kannst du jetzt sehen, Jim«, versetzte er, »wie gut es ist, wenn man seine Liebhabereien im Essen hat. Du hast meine Schnupftabaksdose bemerkt, nicht wahr? Du hast mich aber nie eine Prise daraus nehmen sehen, und zwar aus dem einfachen Grund, weil ich ein Stück Parmesankäse – das ist ein sehr nahrhafter Käse aus Italien – in der Dose trage. Und diesen Käse wird jetzt Ben Gunn bekommen!«

Vor dem Abendbrot begruben wir den alten Tom und standen eine Weile im Abendwind barhaupt um sein Grab. Ein guter Teil Brennholz war bereits herangeholt, aber noch nicht genug, um den Kapitän zufrieden zu stellen. Er schüttelte den Kopf und sagte uns, wir müssten am nächsten Tag besser arbeiten. Nachdem wir unser Pökelfleisch gegessen und jeder ein Glas steifen Grog getrunken hatten, zogen sich unsere drei Anführer zu einer Besprechung der Lage in eine Ecke zurück.

Sie waren anscheinend am Ende ihrer Weisheit. Der Mangel an Lebensmittel musste uns zur Übergabe zwingen, lange bevor Entsatz kam. Unsere größte Hoffnung lag darin, so viele Seeräuber wie nur möglich zu töten, bis sie entweder ihre Flagge strichen oder mit der *Hispaniola* auf und davon segelten. Von neunzehn war ihre Zahl bereits auf fünfzehn gesunken. Zwei andere waren verletzt und einer wenigstens – der Mann, der neben dem Geschütz von der Kugel des Squires getroffen worden war – schwer verwundet, wenn nicht schon tot. Jedes Mal, wenn sich eine günstige Gelegenheit zu einem Schuss bot, sollten wir sie benutzen, dabei aber vorsichtig sein und nicht unser eigenes Leben gefährden. Auf die Unterstützung zweier tüchtiger Bundesgenossen durften wir außerdem noch rechnen – auf den Rum und das Klima.

Wir konnten die Piraten eine halbe Meile von uns entfernt bis tief in die Nacht hinein brüllen und singen hören. Der Doktor setzte seine Perücke zum Pfand, dass die Hälfte von ihnen binnen einer Woche fieberkrank darniederliegen würde. Sie hatten ihr Lager in der Sumpfgegend aufgeschlagen und keine Arzneien bei sich.

»Wenn sie nicht vorher alle abgeschossen werden«, fügte er hinzu, »werden sie froh sein, mit dem Schoner abzusegeln. Er ist immerhin ein Schiff und sie können damit wieder als Seeräuber ihr Glück versuchen.«

»Die *Hispaniola* ist das erste Schiff, das ich je verloren habe«, sagte Kapitän Smollett.

Ich war todmüde, trotzdem wälzte ich mich noch lange unruhig hin und her. Als ich endlich einnickte, schlief ich wie ein Stein.

Die anderen waren schon längst wieder aufgestanden, hatten bereits gefrühstückt und einen neuen beträchtlichen Stoß Brennholz gesammelt, als mich lautes Stimmengewirr weckte.

»Parlamentärflagge!«, hörte ich jemanden sagen und gleich darauf verwundert hinzufügen: »Silver selbst!«

Bei diesen Worten sprang ich auf. Ich rieb mir den

Schlaf aus den Augen und lief zu einer Schießscharte in der Wand.

20

Zwei Männer standen außerhalb der Umzäunung. Einer von ihnen schwenkte ein weißes Tuch und der andere, Silver in höchsteigener Person, wartete in selbstbewusster Haltung neben ihm.

Es war noch sehr früh und der kälteste Morgen, den ich in diesen Breiten je erlebt habe; die Kälte ging mir durch Mark und Bein. Der Himmel über uns war klar und wolkenlos und ein rosiger Schein lag über den Wipfeln der Bäume. Dort aber, wo Silver mit seinem Begleiter stand, war noch alles in Schatten gehüllt. Sie standen bis ans Knie in dickem, über dem Boden liegenden weißen Dampf, der während der Nacht aus dem Moor aufgestiegen war. Kälte und Dunst erzählten eine recht erbärmliche Geschichte von der Insel, einem feuchten, fiebrigen Platz.

»Bleibt im Hause, Leute«, sagte der Kapitän. »Zehn zu eins, dass dies eine Falle ist.«

Dann rief er den Seeräuber an.

»Wer geht dort? Steht oder wir feuern.«

»Unterhändler«, rief Silver.

Der Kapitän stand in der Tür, hielt sich aber vorsichtig aus dem Bereich eines heimtückischen Schusses, falls ein solcher beabsichtigt war. Er drehte sich um und erteilte uns folgenden Befehl:

»Der Doktor mit seiner Wache auf Postendienst. Livesey, bitte nehmen Sie die Nordseite, Jim die Ost- und Gray die Westseite. Die andere Wache soll im Haus die Musketen laden. Schnell, Leute, und aufgepasst.«

Dann wandte er sich wieder den Meuterern zu.

»Was wollt ihr mit eurer weißen Fahne?«, rief er.

Diesmal antwortete der andere Mann.

»Käpt'n Silver, Sir«, schrie er, »möchte kommen und einen Vergleich abschließen.«

»Käpt'n Silver! Kenne ich nicht. Wer ist das?«, rief der Kapitän. Nur für uns vernehmbar, fügte er hinzu: »Also Kapitän ist er jetzt? Das nenne ich eine schnelle Beförderung!«

Long John beantwortete die Frage selbst.

»Ich bin das, Sir. Die armen Burschen haben mich zum Käpt'n gewählt, nachdem Sie desertiert sind« – und er legte besonderen Nachdruck auf das Wort »desertiert«. »Wir sind bereit nachzugeben, wenn wir uns gütlich einigen können, und wollen auch nichts nachtragen. Alles, was ich verlange, ist Euer Wort, Kapitän Smollett, mich unbehelligt aus diesen Palisaden herauszulassen und uns eine Frist von einer Minute zu gewähren, um außer Schussweite zu kommen, ehe ein Gewehr abgefeuert wird.«

»Mann«, sagte Kapitän Smollett, »ich fühle nicht das geringste Verlangen, mit Euch zu reden. Wenn Ihr aber mit mir zu reden wünscht, so könnt Ihr meinetwegen kommen. Wenn Verrat geplant ist, so bestimmt nur auf Eurer Seite und in diesem Fall sei Gott Euch gnädig.«

»Das genügt mir, Käpt'n«, schrie Long John zurück »ein Wort von Euch genügt mir. Ich weiß, dass Ihr ein Ehrenmann seid, darauf könnt Ihr Euch verlassen.«

ROBERT L. STEVENSON

Wir sahen, wie der Mann, der die weiße Fahne trug, Silver zurückzuhalten versuchte. Und er hatte, wenn man die kurze Antwort des Kapitäns in Betracht zieht, von seinem Standpunkt aus nicht so Unrecht. Silver aber lachte ihn laut aus und schlug ihm auf die Schulter um zu zeigen, dass er keine Furcht habe. Dann näherte er sich den Palisaden, warf seine Krücke hinüber und brachte es mit außerordentlicher Kraft und Geschicklichkeit fertig, über den Zaun zu klettern und wohlbehalten auf die andere Seite zu gelangen.

All diese Vorgänge nahmen – ich muss es gestehen – meine Aufmerksamkeit so sehr in Anspruch, dass ich als Wachtposten keineswegs von Nutzen war. Ich hatte meine Schießscharte auf der östlichen Seite verlassen und war hinter den Kapitän geschlüpft. Den Kopf auf die Hände und die Ellbogen auf die Knie gestützt saß er jetzt auf der Schwelle und hatte den Blick auf das Wasser gerichtet, das aus dem alten Eisenkessel hervorsickerte. Er pfiff dabei die Melodie eines bekannten Volksliedes vor sich hin.

Silver kostete es ungeheure Mühe, den Hügel hinaufzuklettern. Der Hügel fiel hier fast senkrecht ab, die zahlreichen dicken Baumstümpfe und der weiche Sand machten ihn mit seiner Krücke so hilflos wie ein kleines Kind. Er biss jedoch die Zähne zusammen, stand endlich vor dem Kapitän und salutierte höflich. Er hatte seine besten Kleider angelegt. Ein dicker, mit großen Messingknöpfen überladener Rock fiel ihm bis über die Knie. Auf dem Kopf trug er einen spitzen Hut.

»Seid Ihr da, Mann?«, fragte der Kapitän und blickte erst jetzt auf. »Ihr könnt Euch setzen.«

»Wollen Sie mich nicht ins Haus lassen, Kapitän?«, klagte Long John. »Es ist ein scheußlicher Morgen und zu kalt, um hier draußen im Sand zu sitzen.«

»Das ist Eure eigene Schuld, Silver«, sagte der Kapitän. Wenn es Euch beliebt hätte, ein ehrlicher Mann zu bleiben, könntet Ihr jetzt in Eurer warmen Küche sitzen. Entweder seid Ihr aber mein Schiffskoch – und dann werdet Ihr als solcher behandelt – oder aber Ihr seid Kapitän Silver, das heißt, ein ganz gewöhnlicher Meuterer und Seeräuber, der den Strick verdient.«

»Sachte, Käpt'n, immer sachte«, antwortete der Schiffskoch und setzte sich wie befohlen in den Sand. »Sie werden mir nachher wieder in die Höhe helfen müssen, das ist alles. Sie haben wirklich einen ganz behaglichen Platz hier. Da ist ja auch Jim! Einen schönen guten Morgen wünsche ich dir, Jim. Gehorsamster Diener, Doktor. Ihr bildet zusammen eine glückliche Familie, das muss ich sagen.«

»Wenn Ihr etwas auszurichten habt, so teilt es mir mit«, sagte der Kapitän.

»Recht so, Kapitän Smollett«, versetzte Silver. »Zuerst kommt die Pflicht. In der Nacht haben Sie das übrigens ganz geschickt angefangen, das muss ich zugeben. Es war ein gelungener Überfall und einige von euch haben recht kräftig dreingeschlagen. Ich stelle es auch nicht in Abrede, dass manche, vielleicht sogar alle von meinen Leuten, vielleicht sogar ich selbst erschrocken waren. Das ist auch der Grund, warum ich hierhergekommen bin, um einen Vergleich zu schließen. Ich gebe Euch aber mein Wort, Kapitän, ein zweites Mal werdet Ihr uns nicht wieder

ROBERT L. STEVENSON

überraschen! Wir werden Posten aufstellen und auch mit Rum sparsamer umgehen. Und ich sage Euch, dass ich selbst nüchtern und nur hundemüde war. Wäre ich eine Sekunde früher aufgewacht, so hättet Ihr sicherlich kein Glück gehabt. Er war noch nicht ganz tot, als ich zu ihm kam, nein, das war er nicht.«

»Nun?«, sagte Kapitän Smollett so kaltblütig wie immer.

Jedes Wort, das Silver sagte, war ihm ein Rätsel gewesen, doch merkte man seiner Stimme nicht das Geringste von seiner Überraschung an. In mir wurde die Erinnerung an Ben Gunns letzte Worte wach. Ich erriet, dass er den Seeräubern einen Besuch abgestattet hatte, während sie alle betrunken um ihr Feuer lagen, und zu meiner Freude wurde mir klar, dass wir es jetzt nur noch mit vierzehn Feinden zu tun hatten.

»Um es kurz zu machen«, sagte Silver, »wir verlangen den Schatz und wollen ihn haben – darauf kommt es uns an! Sie wollen vermutlich Ihr Leben retten und darauf kommt es Ihnen an. Sie haben eine Karte, nicht wahr?«

»Das tut nichts zur Sache«, erwiderte der Kapitän.

»Oh doch, Sie haben eine, ich weiß es«, versetzte Long John. »Sie brauchen übrigens gar nicht so verschlossen und von oben herab zu tun. Es nützt Ihnen doch nichts, darauf können Sie sich verlassen. Wir wollen Ihre Karte haben und Sie im Übrigen ganz unbehelligt lassen.«

»Das zieht bei mir nicht, Mann«, unterbrach ihn der Kapitän. »Wir wissen ganz genau, was Ihr tun wollt, kümmern uns aber den Teufel darum. Ihr seht jetzt doch selbst ein, dass Ihr Euer Vorhaben nicht ausführen könnt.«

Der Kapitän blickte ihn ruhig an und begann seine Pfeife zu stopfen.

»Wenn Abe Gray –«, brauste Silver auf.

»Genug davon!«, rief Kapitän Smollett. »Gray hat mir nichts gesagt und ich habe ihn nichts gefragt. Lieber würde ich euch und ihn und die ganze Insel zuvor in die Luft sprengen, wenn das in meiner Macht läge. Genügt Euch diese Versicherung, Mann?«

Dieser plötzliche Zornesausbruch des Kapitäns schien Long John Silver etwas abzukühlen. Er nahm sich wieder zusammen, um nicht noch mehr aus seiner Rolle zu fallen.

»Das ist gut und schön«, sagte er, »ich kann Ihnen auch keine Vorschriften machen, was Sie zu tun oder zu lassen haben. Ich sehe aber, dass Sie sich eine Pfeife stopfen, und darf wohl selbst das Gleiche tun.«

Auch er stopfte sich eine Pfeife und zündete sie an. So saßen die beiden Männer eine ganze Weile schweigend da, hüllten sich in Rauch und blickten einander ins Gesicht oder beugten sich vornüber, um auszuspucken. Sie zu beobachten, war ein Schauspiel.

»Was ich verlange«, fing Silver wieder an, »ist also dies: Ihr gebt uns die Karte, damit wir den Schatz heben können, und hört auf, arme Seeleute zu erschießen oder ihnen im Schlaf die Köpfe einzuschlagen. Wenn Ihr einwilligt, könnt ihr zwischen zweierlei wählen: Entweder kommt ihr, wenn der Schatz eingeladen ist, mit uns an Bord und dann gebe ich mein Ehrenwort, euch irgendwo sicher an Land zu setzen; oder, wenn euch das nicht passen sollte, da einige meiner Matrosen raue Burschen sind und euch vielleicht den Überfall heimzahlen möchten, so könnt ihr meinetwegen auch hierbleiben. Wir wollen dann Mann für Mann unsere Vorräte mit euch teilen und ich gebe Euch wie zuvor mein Ehrenwort, das erste Schiff, auf das ich stoße, anzurufen und hierher zu senden, damit es euch abholt. Das ist gewiss ein billiger Vorschlag, wie Ihr ihn wohl kaum erwartet habt, und ich hoffe« – er erhob nun seine Stimme –, »dass alle Mann in diesem Blockhaus hier sich meine Worte überlegen werden. Denn was ich zu dem einen gesprochen habe, gilt für alle.«

Kapitän Smollett stand von seinem Sitz auf und klopfte die Asche seiner Pfeife in die Innenfläche seiner linken Hand.

»Ist das alles?«, fragte er.

»Mein letztes Wort, verdammt!«, antwortete John. »Weist es zurück und ich rede nur noch durch Musketenkugeln zu euch.«

»Gut«, sagte der Kapitän, »nun sollt Ihr auch mich hören. Wenn ihr einer nach dem andern unbewaffnet hier heraufkommt, so verpflichte ich mich, euch alle in Eisen zu legen und nach England zu bringen, wo das Gericht über euch entscheiden mag. Wollt ihr nicht, so habe ich, so wahr mein Name Alexander Smollett ist, die Fahne meines Königs aufgezogen und will euch alle zum Teufel schicken. Ihr könnt den Schatz nicht finden, ihr könnt das Schiff nicht segeln, da nicht ein Mann unter euch ist, der es versteht. Ihr seid uns auch nicht im Kampf überlegen – denn Gray dort hat sich von fünf seinesgleichen losgerissen. Euer Schiff liegt in Eisen, Master Silver, und Ihr selbst befindet Euch auf einer Leeküste, wie Ihr bald herausfinden werdet. Ich stehe hier und sage es Euch und das sind die letzten guten Worte, die Ihr von mir hört, beim Himmel! Ich werde Euch eine Kugel in den Kopf jagen, wenn ich Euch das nächste Mal begegne. Und jetzt macht, dass Ihr fortkommt, Silver!«

Silvers Gesicht verzerrte sich. Seine Augen traten vor Wut fast aus den Höhlen. Er löschte das Feuer in seiner Pfeife.

»Helft mir in die Höhe!«, rief er.

»Ich nicht«, versetzte der Kapitän.

»Wer hilft mir in die Höhe?«, brüllte er.

Keiner von uns rührte sich. Die schlimmsten Verwünschungen ausstoßend kroch er auf dem Sand bis zum Türpfosten hin, an dem er sich selbst aufrichten und wieder auf seine Krücke stützen konnte. Dann spie er in die Quelle.

»Seht«, rief er aus, »was ich von euch halte. Ehe eine Stunde vorüber ist, will ich euer altes Blockhaus wie ein leeres Rumfass zerschlagen. Lacht nur, zum Teufel, lacht nur! Ehe eine Stunde vorüber ist, wird euch das Lachen vergangen sein.«

Mit einem schrecklichen Fluch humpelte er davon, stolperte den Hang hinab und gelangte nach vier oder fünf vergeblichen Versuchen mithilfe des Mannes, der die weiße Fahne trug, über die Palisaden. Gleich darauf war er zwischen den Bäumen verschwunden.

21

Sobald Silver außer Sichtweite war, ging der Kapitän, der ihn bis dahin nicht aus den Augen gelassen hatte, ins Haus hinein. Er fand, Gray ausgenommen, auch nicht einen von uns auf seinem Posten. Zum ersten Mal sahen wir ihn wirklich zornig werden.

»Auf eure Plätze!«, befahl er und fuhr dann, als wir alle auf unsere Posten zurückgeschlichen waren, zu Gray gewendet fort:

»Ich werde deinen Namen in das Logbuch eintragen, denn du hast wie ein Seemann deine Pflicht getan. Mr. Trelawney, Ihr Verhalten überrascht mich. Doktor, ich dachte, Sie hätten des Königs Rock getragen! Wenn Sie Ihrem König bei Fontenay auf diese Weise dienten, Sir, hätten Sie in Ihrem Bett bleiben können.«

Die Wachen standen wieder vor ihren Schießscharten und die anderen waren eifrig damit beschäftigt, unsere Reservemusketen zu laden. Jeder hatte ein rotes Gesicht und fühlte sich ordentlich abgekanzelt.

Der Kapitän sah eine Weile schweigend zu, dann sprach er:

»Freunde, ich habe Silver eine Breitseite gegeben und ihn absichtlich in Wut gebracht. Ehe die Stunde um ist, werden sie uns, wie er sagte, entern. Sie sind uns zwar, das wisst ihr alle, der Zahl nach überlegen. Wir kämpfen aber unter dem Schutz dieses Hauses und noch vor einer Minute hätte ich gesagt, dass wir auch mit Manneszucht kämpfen. Ich zweifle nicht daran, dass wir sie, wenn ihr nur wollt, schlagen werden.«

Dann machte er die Runde und sorgte dafür, dass alle Vorbereitungen zum Gefecht getroffen wurden.

Auf den beiden kurzen Querseiten des Hauses gab es nur zwei Schießscharten, auf der Südseite, wo die Tür war, wieder zwei und auf der Nordseite fünf. Rund zwanzig Musketen waren für uns sieben Mann vorhanden; das Brennholz war in vier Stößen aufgeschichtet – Tische konnte man sie fast nennen –, etwa in der Mitte jeder Wand. Auf jedem dieser Tische lagen griffbereit vier geladene Musketen und die dazugehörige Munition für die Verteidiger. In der Mitte der Blockhütte standen die Säbel an einen Pfosten gelehnt.

»Macht das Feuer aus«, befahl der Kapitän, »die Morgenkälte ist vorüber und der Rauch darf uns nicht die Augen trüben.«

Der Squire selbst hob den Eisenrost mit dem darauf brennenden Holz vom Herd und erstickte das Feuer mit Sand.

»Hawkins hat noch kein Frühstück bekommen. Hawkins, hole dir etwas zu essen und iss es auf deinem Posten«, fuhr Kapitän Smollett fort. »Nur tüchtig zugelangt, mein Junge, du wirst deine ganze Kraft brauchen, bevor du noch fertig bist. Hunter, lass den Brandy herumgehen.«

Während diese Anweisungen befolgt wurden, entwarf der Kapitän den Verteidigungsplan.

»Doktor, Ihr deckt die Tür«, fuhr er wieder fort, »haltet Eure Augen offen und bleibt in Deckung. Verlasst Euren Posten nicht und feuert durch die Schießscharte. Dir, Hunter, übergebe ich die Ost- und dir, Joyce, die West-

ROBERT L. STEVENSON

seite. Mr Trelawney, Sie sind der beste Schütze, Ihnen und Gray vertraue ich die am meisten gefährdete Nordseite mit den fünf Schießscharten an. Wenn sie dort heraufkommen und durch die Öffnungen auf uns feuern, würde es schlecht um uns bestellt sein. Hawkins, weder du noch ich verstehen viel vom Schießen. Wir werden darum die Gewehre laden und zugreifen, wo es nötig ist.«

Der Morgenfrost war vorüber, sobald sich nur die Sonne über die Berge erhoben hatte. Ihre Strahlen fielen mit aller Kraft auf die Lichtung und sogen den giftigen Dunst auf. Bald glühte der Sand und das Harz in den Stämmen des Blockhauses begann zu schmelzen. Wir zogen Jacken und Röcke aus, öffneten die Hemden am Hals und rollten die Ärmel bis an die Schultern auf. So standen wir wie im Fieber heiß und erregt auf unseren Posten und harrten der Dinge.

Eine Stunde verging.

»Zum Teufel mit ihnen«, sagte der Kapitän. »Dies ist so langweilig wie eine Windstille. Gray, pfeift einmal, damit der Wind kommt.« Jedoch gerade in diesem Augenblick bemerkten wir die ersten Anzeichen des Angriffes.

»Kapitän«, fragte Joyce eben, »soll ich feuern, wenn ich einen sehe?«

»Gewiss«, rief der Kapitän, »habe ich es dir nicht gesagt?«

»Danke, Sir«, versetzte Joyce im gleichen höflichen, ruhigen Ton. Die Frage hatte uns alle gründlich aufgerüttelt und uns Ohren und Augen geschärft – den Musketieren, die ihre Waffen schussbereit in den Händen hielten, und dem Kapitän in der Mitte des Blockhauses, auf dessen Gesicht ein Ausdruck fester Entschlossenheit lag.

So vergingen einige Sekunden, bis Joyce plötzlich sein Gewehr anlegte und feuerte. Kaum war der Knall verklungen, als von allen Seiten der Palisaden eine unregelmäßige Salve folgte. Mehrere Kugeln trafen das Blockhaus, aber nicht eine schlug durch. Als sich der Rauch verzogen hatte, sahen die Wälder ringsum und unsere Festung so ruhig und friedlich aus wie zuvor. Kein Zweig bewegte sich, kein blitzender Musketenlauf verriet uns die Nähe der Feinde.

»Hast du deinen Mann getroffen?«, fragte der Kapitän.

»Nein, Sir«, erwiderte Joyce, »ich glaube nicht.«

»Immer der Wahrheit die Ehre«, murmelte Kapitän Smollett.

»Lade sein Gewehr, Hawkins. Wie viele, meinen Sie, waren auf Ihrer Seite, Doktor?«

»Das weiß ich ganz genau«, sagte Doktor Livesey. »Auf meiner Seite wurden drei Schüsse abgefeuert, zwei dicht nebeneinander – der dritte weiter westlich.«

»Drei also!«, wiederholte der Kapitän. »Und wie viele auf der Ihren, Mr Trelawney?«

Diese Frage ließ sich nicht so leicht beantworten. Auf der Nordseite war eine ganze Anzahl Schüsse gefallen, sieben nach des Squires, acht oder neun nach Grays Berechnung. Auf der Ost- und Westseite war nur je ein Schuss abgefeuert worden. Es lag auf der Hand, dass der Angriff von Norden erfolgen würde und uns auf den anderen drei Seiten ein leichtes Geplänkel ablenken sollte. Trotzdem änderte Kapitän Smollett seinen Verteidigungsplan nicht.

ROBERT L. STEVENSON

Wenn es den Meuterern gelang, unbewacht über den Zaun zu klettern, würden sie jede freie Schießscharte besetzen und uns in unserer eigenen Festung wie die Ratten niederschießen.

Es blieb uns nicht viel Zeit zum Überlegen. Mit lautem Hurra sprang ein kleiner Schwarm Piraten aus dem Wald auf der Nordseite hervor und stürmte gegen die Palisaden. Das Feuer wurde auch von den anderen Seiten wieder aufgenommen. Eine Kugel zersplitterte die Muskete des Doktors.

Die Seeräuber kletterten wie die Affen über die Palisaden. Der Squire und Gray feuerten wieder und wieder auf sie. Drei der Piraten fielen, der eine vornüber in die Umzäunung, zwei andere rücklings nach außen. Von diesen beiden war einer wohl mehr erschrocken als verletzt, da er im nächsten Augenblick wieder auf seinen Füßen stand und sofort zwischen den Bäumen verschwand.

Zwei hatten ins Gras gebissen, einer war geflohen, vier hatten sich innerhalb der Palisaden festgesetzt. Sieben oder acht Mann, von denen jeder anscheinend über mehrere Musketen verfügte, unterhielten im Schutz des Waldes ein lebhaftes, wenn auch zweckloses Feuer gegen das Blockhaus.

Die vier Mann, denen es gelungen war, über die Palisaden zu klettern, stürmten gegen das Haus – mit lautem Geschrei, das die anderen Piraten draußen wie ein Echo beantworteten, um ihnen Mut zu machen. Mehrere Schüsse fielen, aber in solcher Hast, dass niemand getroffen wurde. Binnen Sekundenfrist hatten die vier Seeräuber den Hügel erklettert und stürzten sich auf uns.

Der Kopf des Bootsmannes Job Anderson erschien in der mittleren Schießscharte.

»Vorwärts, alle Mann!«, brüllte er mit Donnerstimme.

In diesem Augenblick packte ein anderer Seeräuber Hunters Muskete an der Mündung, entriss sie ihm, holte mit ihr aus und warf den armen Burschen mit einem mächtigen Schlag besinnungslos auf den Boden. Ein dritter, der unbeobachtet um das Haus herumgelaufen war, erschien plötzlich in der Tür und fiel mit seinem Säbel über den Doktor her.

Unsere Lage hatte sich völlig verwandelt. Noch vor einem Augenblick hatten wir aus guter Deckung auf einen ungeschützten Feind gefeuert, jetzt waren wir selbst ohne Deckung. Das Blockhaus war voller Pulverdampf, ein Umstand, dem wir wahrscheinlich unser Leben verdankten. Schmerzensrufe und Geschrei, das Blitzen und Krachen der Pistolenschüsse und lautes Stöhnen dröhnte in meinen Ohren.

»Hinaus, Leute, hinaus! Gebt es ihnen im Freien! Nehmt die Säbel!«, rief der Kapitän.

Ich griff nach einem Säbel und erhielt von jemandem, der auch einen nahm, einen Hieb über die Finger, den ich aber kaum fühlte. Ich stürmte zur Tür hinaus in das klare Sonnenlicht. Ein Meuterer war dicht hinter mir, ich wusste aber nicht, wer. Unmittelbar vor mir jagte der Doktor seinen Angreifer den Hügel hinab und versetzte ihm einen Hieb quer über das Gesicht, der ihn zu Fall brachte.

»Ums Haus, Leute, schnell ums Haus!«, rief der Kapitän. Sogar in diesem Tumult fiel mir auf, dass seine Stim-

ROBERT L. STEVENSON

me anders klang als sonst. Mechanisch gehorchte ich, wandte mich östlich und lief mit erhobenem Säbel um die Ecke des Hauses. Im nächsten Augenblick stand ich Anderson gegenüber. Er brüllte laut und holte mit seinem im Sonnenlicht blitzenden Entermesser weit aus. Ich hatte keine Zeit, mich zu fürchten, sondern sprang, während die Waffe noch in der Luft schwebte, zur Seite, fand in dem weichen Sand keinen Halt und kollerte kopfüber den Abhang hinunter.

Als ich zur Tür hinausgestürzt war, waren die anderen Meuterer gerade dabei gewesen, die Palisaden zu stürmen. Ein Mann mit einer roten Schiffsmütze auf dem Kopf und dem Säbel zwischen den Zähnen stand schon mit einem Bein auf unserer Seite. Als ich wieder aufstand, war noch alles ebenso wie zuvor. Der Bursche mit der roten Schiffsmütze hockte noch immer oben auf dem Zaun, während der Kopf eines anderen neben ihm auftauchte. Dies alles hatte sich in einem unglaublich kurzen Zeitraum zugetragen. Dennoch entschied dieser kurze Augenblick den Kampf zu unseren Gunsten.

Gray war mir auf dem Fuß gefolgt und hatte den großen Bootsmann niedergeschlagen, bevor sich dieser noch von seinem fehlgegangenen Hieb erholt hatte. Ein anderer war vor einer Schießscharte von einer Kugel erreicht worden. Einen Dritten hatte der Doktor mit einem Hieb niedergestreckt. Von den vieren, die über die Palisaden geklettert waren, war nur einer am Leben geblieben. Dieser eine, der im Kampf seinen Säbel eingebüßt hatte, kletterte jetzt in seiner Todesangst Hals über Kopf wieder über die Palisaden.

»Schießt! Ihr da im Hause, schießt!«, rief der Doktor, »und ihr, Leute, schnell, sucht Deckung!«

Seine Worte fanden jedoch keine Beachtung. Kein Schuss ertönte und der letzte Seeräuber konnte unversehrt zusammen mit den übrigen in den Wald flüchten. In drei Sekunden war nichts von den Angreifern zurückgeblieben als ihre fünf Gefallenen, von denen vier innerhalb der Umzäunung lagen.

Der Doktor, Gray und ich suchten schleunigst das Blockhaus auf. Die überlebenden Seeräuber würden bald die Stelle erreicht haben, wo sie ihre Musketen zurückgelassen hatten, und konnten das Feuer jeden Augenblick aufnehmen.

Im Hause hatte sich der Pulverdampf etwas verzogen und wir sahen, welchen Preis wir für unseren Sieg bezahlt hatten. Hunter lag besinnungslos auf dem Boden und Joyce tot neben seiner Schießscharte. Eine Kugel hatte ihn in den Kopf getroffen. In der Mitte des Raumes stützte der Squire den Kapitän, der ebenso blass war wie er selbst.

»Der Kapitän ist verwundet«, sagte Mr Trelawney.

»Sind sie ausgerissen?«, fragte Kapitän Smollett.

»Alle, die nur ausreißen konnten«, antwortete der Doktor, »aber fünf von ihnen werden nie wieder laufen.«

»Fünf!«, rief der Kapitän, »das ist besser, als ich hoffte. Fünf Verluste gegen drei auf unserer Seite lässt uns bei einem Stand von vier zu neun. Jetzt ist unsere Lage günstiger als zu Anfang des Kampfes. Wir waren damals sieben gegen neunzehn – oder glaubten es wenigstens, und das ist genauso schlimm.«

VIERTES BUCH

MEIN SEEABENTEUER

22

DIE MEUTERER KEHRTEN WEDER ZURÜCK noch feuerten sie aus dem Wald einen einzigen Schuss auf uns ab. Sie hatten, wie der Kapitän sagte, für den Tag ihren Teil bekommen. Das Blockhaus war in unserem Besitz geblieben und wir konnten uns jetzt in Ruhe um die Verwundeten und um unser Mittagessen kümmern. Der Squire und ich kochten das Pökelfleisch ungeachtet der Gefahr draußen im Freien, taten es aber nur mechanisch, da uns das laute Stöhnen der Patienten des Doktors naheging.

Von den acht Mann, die im Kampf gefallen waren, atmeten nur noch der Seeräuber, der vor der Schießscharte von einer Kugel getroffen worden war, Hunter und Kapitän Smollett. Hunter und der Pirat aber waren dem Tod nahe. Der Meuterer starb schon wenige Stunden später und auch Hunter erlangte trotz aller Mühe des Doktors das Bewusstsein nicht wieder. Er verschied in der folgenden Nacht, ohne Todeskampf und ohne einen Laut von sich zu geben. Der Kapitän war zwar schwer, aber nicht lebensgefährlich verletzt. Andersons Kugel hatte ihm das Schulterblatt zerschmettert und die Lunge gestreift. Die zweite Kugel hatte einige Muskeln im Oberschenkel zerrissen und bloßgelegt. Der Doktor sagte, dass der Kapitän sich bestimmt erholen würde. Doch sollte er einige Wochen lang weder gehen noch seinen Arm bewegen, ja nicht einmal sprechen, wenn er es vermeiden könne.

Der Hieb, den ich über meine Hand bekommen hatte, war nicht der Rede wert und tat mir auch kaum noch weh. Doktor Livesey legte mir ein Heftpflaster auf und zupfte mich noch obendrein dafür an den Ohren.

Nach dem Essen setzte sich der Squire mit dem Doktor beim Kapitän zu einer Beratung nieder. Dann erhob sich der Doktor, nahm seinen Hut und die Pistolen, schnallte sich den Säbel um, steckte die Karte in seine Tasche und kletterte mit einer Muskete auf dem Rücken über die Nordseite der Palisaden. Mit eiligen Schritten verschwand er zwischen den Bäumen.

Gray und ich saßen zusammen in der hintersten Ecke des Blockhauses, wohin wir uns zurückgezogen hatten, um nicht unfreiwillig Zeugen der Beratung zwischen unseren Vorgesetzten zu werden. Als Gray sah, was der Doktor tat, nahm er seine Pfeife aus dem Mund und vergaß sie fast wieder hineinzustecken, so erstaunt war er.

»Zum Teufel!«, rief er, »ist Doktor Livesey verrückt?«

»Das wohl nicht«, antwortete ich. »Von der ganzen Mannschaft ist er gewiss der Letzte, von dem man das annehmen könnte.«

»Weißt du, Kumpel«, sagte Gray, »er ist vielleicht nicht verrückt. Aber wenn er es nicht ist, so bin ich es, verlass dich darauf.«

»Ich vermute«, entgegnete ich, »dass der Doktor einen

ROBERT L. STEVENSON

bestimmten Plan verfolgt und, wenn ich mich nicht täusche, jetzt Ben Gunn aufsuchen wird.«

Ich hatte recht geraten, wie sich später herausstellte. Inzwischen aber fasste ich selbst einen andern Plan, der alles andere als vernünftig war. Im Hause war es erdrückend heiß und der kleine Sandstreifen innerhalb der Umzäunung glühte von der Mittagssonne wie ein Backofen. Ich begann den Doktor zu beneiden, der im kühlen Schatten der Bäume dahinwandern durfte, die Vögel singen hörte und den angenehmen Geruch der Pinien einatmen konnte. Ich aber klebte fast mit meinen Kleidern an dem heißen Baumharz fest und wurde beinahe bei lebendigem Leib geröstet. Dazu kam jetzt nachträglich das Entsetzen über den stattgefundenen Kampf. Während ich das Blockhaus reinigte und das Mittagsgeschirr wusch, verstärkte sich der Abscheu vor diesem nach Blut und Leichen riechenden Ort in mir. Als ich in der Nähe eines Zwiebacksackes stand und von niemandem beobachtet wurde, tat ich den ersten Schritt zu meiner Flucht und füllte beide Taschen meines Rockes mit Schiffszwieback.

Ich war ein Narr, wenn man es so nennen will, und sicherlich stand ich im Begriff, eine tollkühne Handlung zu begehen, aber wenigstens war ich fest entschlossen, sie mit aller möglichen Vorsicht auszuführen. Der Zwieback langte mindestens für den nächsten Tag, und wenn mir ein Unfall zustoßen sollte, brauchte ich nicht zu hungern.

Dann steckte ich ein Paar Pistolen zu mir, und da ich bereits ein Pulverhorn und Kugeln besaß, hielt ich mich für hinreichend mit Waffen versorgt.

Mein Plan war an und für sich nicht schlecht. Ich wollte hinunter zu der sandigen Landzunge, die östlich der offenen See in den Ankergrund vorspringt, den weißen Felsen suchen, den ich abends zuvor bemerkt hatte, und mich vergewissern, ob Ben Gunn sein Boot dort verborgen hatte – also eine lobenswerte Tat, wie ich noch immer glaubte. Ich wusste genau, dass man es mir nicht gestatten würde, die Umzäunung zu verlassen, und so blieb mir kein anderer Ausweg, als in einem unbeobachteten Augenblick hinauszuschlüpfen. Und das war ein fragwürdiger Anfang für das ganze fragwürdige Unternehmen.

Endlich bot sich mir die gewünschte Gelegenheit. Der Squire und Gray waren gerade dabei, die Wunden des Kapitäns zu verbinden, die Luft war also rein! Im Nu kletterte ich über die Palisaden und wanderte im Waldschatten, bevor noch die anderen meine Abwesenheit bemerkt hatten.

So fing mein zweiter toller Streich an, der viel bedenklicher als mein erster war, da ich nur zwei gesunde Männer zum Schutz des Hauses zurückließ. Und doch sollte auch dieser Streich wie mein erstes Abenteuer zu unserer Rettung beitragen.

Ich schlug die Richtung zur Ostküste ein, denn ich wollte die Landzunge von der Seeseite her durchqueren, um nicht etwa vom Ankerplatz aus entdeckt zu werden. Es war bereits spät am Nachmittag, wenn auch noch immer warm und sonnig. Als ich unter den hohen Bäumen dahinwanderte, vernahm ich nicht nur den ununterbrochenen Donner der Brandung, sondern auch ein Rauschen in den Laubkronen. Die von der See kommende Brise wehte kräftiger als gewöhnlich und es wurde rasch kühler. Nach

ROBERT L. STEVENSON

einigen Minuten stand ich am offenen Waldrand und sah die See blau und sonnig bis an den Horizont vor mir liegen und die Brandung sich schäumend und zischend längs der Küste aufbäumen.

Nie habe ich das Meer um die Schatzinsel ruhig gesehen. Die Sonne mochte vom Himmel ihre glühenden Strahlen herabsenden, in der Luft sich kein Windhauch rühren und die offene See spiegelglatt und blau daliegen – die gewaltigen Brecher rollten dennoch unaufhörlich die ganze Küste entlang und donnerten Tag und Nacht gegen die Ufer. Auf der ganzen Insel gab es wohl kaum einen Fleck, wo dieses Tosen nicht zu vernehmen war.

Ich atmete die frische Luft tief ein und ging am Strand entlang. Endlich war ich nach meiner Berechnung weit genug nach Süden vorgedrungen und kroch unter dem Schutz des dichten Buschwerkes vorsichtig nach der anderen Seite der Landzunge.

Hinter mir lag die See, vor mir der Ankerplatz. Die heftige Brise hatte schon wieder nachgelassen. An ihre Stelle war ein leichter, abwechselnd aus Süden und Südosten kommender Wind getreten, der große Nebelbänke mit sich führte. Der leewärts vom Skeleton Island liegende Ankerplatz erschien jetzt so ruhig und bleifarben wie bei unserer Einfahrt. Das Bild der die schwarze Flagge führenden *Hispaniola* strahlte von den Masten bis zur Wasserlinie getreu aus diesem Riesenspiegel zurück.

Neben dem Schoner lag eines der beiden Beiboote, in dem Silver – ihn konnte ich deutlich erkennen – am Steuer saß. Zwei Männer lehnten sich über die Heckreling, einer trug die rote Schiffsmütze und ich erkannte den

Kerl wieder, der erst vor wenigen Stunden rittlings auf der Palisade gesessen war. Anscheinend plauderten und lachten sie, obwohl ich auf die weite Entfernung, die mehr als eine Meile betrug, natürlich kein Wort verstand. Plötzlich hörte ich ein entsetzliches, grausiges Kreischen, das mir zuerst heftigen Schrecken einjagte, aber es war nur die Stimme Kapitän Flints. Ich glaubte sogar den bunt gefiederten Vogel auf der Hand seines Herrn sitzen zu sehen.

Bald darauf stieß das Beiboot ab und der Mann mit der roten Mütze und sein Gefährte gingen die Kajütentreppe hinunter.

Die Sonne war hinter dem Spy-glass untergegangen. Die Nebel stiegen auf und es wurde schnell dunkel. Wollte ich das Boot noch an diesem Abend finden, durfte ich keinen Augenblick mehr versäumen.

Der weiße, hoch aus dem Gebüsch ragende Felsen war noch immer eine Achtelmeile von mir entfernt. Es dauerte eine geraume Weile, bis ich ihn erreichte, oft auf allen vieren kriechend. Als ich meine Hand auf den rauen Fels legte, war es beinahe finster. Unter mir bemerkte ich einen kleinen grünen Rasenfleck, der von dem Felsen und dem hier sehr dicht und hoch wachsenden Gestrüpp völlig verborgen war. Und wirklich! Mitten auf dem Rasen erblickte ich ein Zelt aus Ziegenfellen, wie es die Zigeuner in England mit sich führen.

Ich stieg hinunter in die Schlucht, hob eine Seite des Zeltes in die Höhe und hatte Ben Gunns selbst gezimmertes Boot vor mir. Es war ein derbes, ziemlich kläglich gebautes Fahrzeug aus hartem Holz und mit einer

ROBERT L. STEVENSON

Schicht Ziegenfelle – die haarige Seite nach innen – überzogen. Das Ding war äußerst klein, selbst für mich. Ich kann mir kaum denken, dass es einen starken Mann getragen hätte. Die Sitzbank war niedrig, vorn am Bug war eine Art Querholz und ich fand ein recht brauchbares Doppelruder.

Ich hatte damals noch keines jener ledernen Boote gesehen, wie sie die alten Briten anfertigten. Heute aber kann ich Ben Gunns Boot nicht besser beschreiben, als wenn ich sage, dass es wie das erste und schlechteste Lederboot aussah, das je von Menschen angefertigt wurde. Es besaß aber auch die großen Vorzüge dieser alten Fahrzeuge, denn es war außerordentlich leicht und ohne Schwierigkeiten zu tragen.

Man hätte meinen sollen, dass ich nun mein Abenteuer aufgab. Allein mir kam plötzlich ein neuer Einfall, der mich so völlig beherrschte, dass ich ihn selbst unter den Augen Kapitän Smolletts ausgeführt hätte. Unter dem Schutz der Nacht wollte ich mich aufs Wasser wagen, das Ankertau der *Hispaniola* durchschneiden und sie auf Grund laufen lassen, wohin immer es sie trieb. Ich war fest überzeugt, dass die Meuterer nach ihrer Niederlage am Morgen den sehnlichsten Wunsch hegten, den Anker aufzuwinden und in See zu stechen. Das wollte ich verhindern. Die Wächter an Bord verfügten über kein Boot und ich glaubte meine Tat ohne große Gefahr ausführen zu können.

Ich wartete, bis es vollständig dunkel geworden war. Inzwischen aß ich einen guten Teil meines Zwiebacks. Die Nacht war wie geschaffen für mein Vorhaben. Der Nebel verhüllte den Himmel, und als der letzte Schein des Tageslichtes erloschen war, breitete sich eine undurchdringliche Finsternis über der Schatzinsel aus.

Als ich endlich das Boot auf meine Schultern lud und aus der Mulde, in der ich meine Mahlzeit gehalten hatte, hervorstolperte, waren auf dem ganzen Ankerplatz nur zwei Punkte sichtbar. Der eine war das große Feuer an der Küste, um das die besiegten Piraten schmausend und zechend herumlagen. Der andere, ein winziger Lichtfleck in der Dunkelheit, verriet die Lage des Schiffes. Es hatte sich der Ebbe wegen entsprechend gedreht und der Bug war mit zugewandt. Nur in der Kajüte brannte Licht. Was ich sah, war der durch den Nebel gedämpfte Widerschein der Strahlen, die durch das Heckfenster drangen.

Die Ebbe war schon vor einiger Zeit eingetreten. Ich musste darum durch einen langen Strich feuchten Sandes waten. Ein paarmal sank ich bis über die Knöchel ein, ehe ich an die zurückflutende See kam. Ich watete in das Wasser und machte mein Boot flott.

23

Das Boot war, wie ich bereits vorher gesehen hatte, für eine Person meiner Größe und meines Gewichtes ein sehr sicheres Fahrzeug. Es ließ sich aber über alle Maßen schwer lenken. Ich mochte tun, was ich wollte, immer wich es aus der Richtung und seine Hauptstärke schien darin zu liegen, sich immer im Kreise zu drehen. Sogar Ben Gunn hat zugegeben, dass es ein widerspenstiges »Stück« war, wenn man seine Launen nicht kannte.

ROBERT L. STEVENSON

Nun, ich kannte sie nicht. Das Boot schlug jede Richtung ein, nur nicht die, in der ich fahren wollte. Die meiste Zeit wandte ich meinem Ziel die Breitseite zu. Ich bin überzeugt, ich hätte das Schiff nie erreicht, hätte nicht gerade die Ebbe eingesetzt, sie riss mich mit sich fort und zum Glück in Richtung der *Hispaniola*.

Zuerst tauchte unser Schiff wie ein dunkler Fleck, noch schwärzer als die Dunkelheit, vor mir auf. Dann nahmen ihre Masten und ihr Rumpf Gestalt an. Im nächsten Augenblick schon war ich durch die Strömung bei ihrem Ankertau angelangt und hielt mich daran fest. Das Ankertau war so straff gespannt wie eine Bogensehne. Rings um den Rumpf plätscherte und schäumte es in der Dunkelheit wie ein kleiner Gebirgsbach. Ein Schnitt mit meinem Schiffsmesser, und die *Hispaniola* würde willenlos der Strömung folgen.

So weit war alles gut. Dann fiel mir aber ein, dass ein straffes, plötzlich durchschnittenes Ankertau so gefährlich wie ein ausschlagendes Pferd ist. Zehn gegen eins, wenn ich so tollkühn wäre, die *Hispaniola* von ihrem Anker loszuschneiden, schlüge ich mit meinem leichten Boot sicherlich um.

Dieser Gedanke hielt mich von meinem Vorhaben ab und ich hätte es aufgegeben, wenn das Glück mir nicht wiederum günstig gewesen wäre. Der leichte Wind, der zuerst aus Süden und Südosten geblasen hatte, war nach Einbruch der Nacht in einen Südwest umgeschlagen. Während ich noch über meinen Plan nachdachte, kam ein Windstoß und trieb die *Hispaniola* gerade in die Strömung; zu meiner großen Freude spürte ich das Ankertau in meiner Hand schlaffer werden und meine Hand tauchte sogar einen Augenblick unter Wasser.

Das gab den Ausschlag. Ich holte mein Messer aus der Tasche, öffnete es mit den Zähnen und durchschnitt einen Strang nach dem andern, bis das Schiff nur noch an zwei Tauen hing. Dann verhielt ich mich ruhig und wartete einen neuen Windstoß ab, der die Spannung wieder lockerte, um auch die letzten zwei Stränge durchzuschneiden.

Die ganze Zeit hindurch hatte ich zwar aus der Kajüte laute Stimmen gehört, jedoch kaum darauf geachtet. Jetzt aber, während ich wartete, horchte ich auf den erregten Wortwechsel.

In der einen Stimme erkannte ich bald die des Zimmermanns Israel Hands, der in früheren Tagen Flints Kanonier gewesen war. Die andere gehörte meinem Freund mit der roten Mütze. Beide Männer waren betrunken und tranken anscheinend noch immer. Während ich lauschte, öffnete einer von ihnen mit einem Fluch das Heckfenster und warf eine leere Flasche hinaus. Sie waren aber nicht nur betrunken, sondern lagen anscheinend in wütendem Streit miteinander. Es hagelte nur so von Flüchen. Dazwischen folgten immer wieder so laute Wutausbrüche, dass ich sicher glaubte, es würde zu einem Handgemenge zwischen ihnen kommen. Jedes Mal aber beruhigten sie sich wieder. Die Stimmen mäßigten sich eine Zeit lang.

Vom Ufer her sah ich den Widerschein des großen Lagerfeuers, das zwischen den Bäumen an der Küste emporflackerte. Ein Matrose sang ein altes, melancholisches Seemannslied mit einem wehmütigen Tremolo am Ende

ROBERT L. STEVENSON

jeder Strophe. Ich hatte es auf der Reise mehr als einmal gehört und erinnerte mich an die Worte:

»Es fuhren auf See fünfundsiebzig hinaus,
Nur einer allein kam von allen nach Haus.«

Mir schien es, als wäre gerade dieses Lied nur allzu passend für eine Mannschaft, die am Morgen so grausame Verluste erlitten hatte. Nach allem aber, was ich sah, waren diese Meuterer so gefühllos wie die See, auf der sie ihr Leben zubrachten.

Endlich kam die nächste Brise und der Schoner legte sich auf die Seite. Ich fühlte das Ankertau in meiner Hand wieder locker werden und schnitt unter Aufbietung meiner ganzen Kraft die beiden letzten Stränge durch.

Die Brise trieb mein Boot gegen den Bug der *Hispaniola*. Der Schoner begann sich langsam um sich selbst zu drehen.

Ich ruderte in meinem Boot wie ein Verrückter, befürchtete ich doch, jeden Augenblick in den Grund gebohrt zu werden. Meine Ruderversuche erwiesen sich indes als zwecklos. So arbeitete ich mich zuletzt nach dem Heck hin, wo ich mich endlich von meinem gefährlichen Nachbarn befreien konnte. Gerade wollte ich zu einem letzten Stoß ausholen, als meine Hände einen dünnen Strick berührten, der vom Heck herabhing. Sofort ergriff ich ihn.

Warum ich es tat, vermag ich kaum zu sagen. Vielleicht folgte ich einer plötzlichen Eingebung. Sobald ich den Strick aber in meiner Hand hielt und mich überzeugte, dass er oben befestigt war, gewann die Neugierde die Oberhand. Ich entschloss mich, einen Blick durch das Kajütenfenster zu werfen. Mit unendlicher Mühe zog ich mich an dem Strick empor, bis ich die Kajüte übersehen konnte.

Der Schoner mit dem kleinen Boot im Schlepptau glitt schon ziemlich schnell durch das auf beiden Seiten aufschäumende Wasser. Es blieb mir unverständlich, warum die beiden Wächter nichts bemerkten, bis ich durch das Fenster gespäht hatte. Ein Blick genügte mir: Hands und sein Gefährte hielten einander in tödlicher Umarmung umklammert, jeder von ihnen umklammerte die Kehle des anderen. Ich ließ mich sofort wieder auf mein Sitzbrett hinab, keine Sekunde zu früh, da ich sonst ins Wasser gefallen wäre. Für den Augenblick sah ich weiter nichts als diese beiden wütenden, geröteten Gesichter, die unter der blakenden Lampe hin und her schwankten. Ich schloss meine Augen, um sie wieder an die Dunkelheit zu gewöhnen.

Endlich war der Sänger mit seiner melancholischen Ballade fertig und die ganze, so sehr zusammengeschmolzene Gesellschaft am Lagerfeuer stimmte laut gröhlend den Refrain an, den ich schon so oft gehört hatte.

»Fünfzehn Mann auf des toten Manns Kiste,
Jo-ho-ho und ein Fass voll Rum!
Schnaps und Teufel holten die andern,
Jo-ho-ho und ein Fass voll Rum!«

Ich dachte gerade daran, wie eifrig der Brandy und der

ROBERT L. STEVENSON

Teufel in eben diesem Augenblick in der Kajüte der *Hispaniola* am Werke waren, als ich plötzlich einen heftigen Ruck verspürte. Mein Boot machte eine scharfe Wendung und schien seinen Kurs zu ändern. Die Geschwindigkeit der Fahrt hatte inzwischen merkwürdig zugenommen.

Ich öffnete sofort meine Augen. Rings um mich herum sah ich kleine, schaumbedeckte Wellenkämme, die leicht phosphoreszierten. Die *Hispaniola* selbst, in deren Fahrwasser ich noch immer mitgerissen wurde, schien einen anderen Kurs einzuschlagen. Sie trieb in südlicher Richtung dahin.

Ich blickte zurück. Mein Herz klopfte schneller, denn dicht hinter mir sah ich den Schein des Lagerfeuers. Die Strömung hatte im rechten Winkel eine Biegung gemacht und den großen Schoner wie das kleine Boot mit sich herumgerissen. Die Wogen tanzten immer höher, plätscherten immer lauter und immer schneller eilte der Schoner durch die Enge der offenen See zu.

Plötzlich machte die *Hispaniola* einen heftigen Ruck und beschrieb eine neue Schwenkung von vielleicht zwanzig Grad. Fast im selben Augenblick wurden an Bord Rufe laut. Ich hörte Fußtritte die Kajütentreppe hinaufeilen und wusste nun, dass die beiden Trunkenbolde endlich von ihrem Streit abgelassen und ihre Lage erkannt hatten.

Ich legte mich auf den Boden meines elenden Fahrzeugs und empfahl meine Seele Gott. Ich sagte mir, dass wir am Ausgang der Meerenge in die wütende Brandung geraten mussten, wo alle meine Sorgen ein rasches Ende nehmen würden. Und wenn ich vielleicht auch den Gedanken an den Tod zu ertragen vermochte, ertrug ich es doch nicht, ihn mit offenen Augen zu erwarten.

Immer meinen Tod in der nächsten Minute vor Augen, musste ich stundenlang dagelegen haben als ein Spielball der Wellen, die mich fortwährend hin- und herschleuderten und mich mit ihrer Gischt durchnässten. Nach und nach überwältigte mich die Müdigkeit. Halb betäubt, aus ständiger Angst fast gleichgültig gegenüber meinem Schicksal, lag ich wie erstarrt in dem zerbrechlichen kleinen Boot.

Zuletzt schlief ich ein und träumte in meinem von der See herumgeworfenen Boot von der Heimat und dem »Admiral Benbow«.

24

Es war heller Tag, als ich aufwachte und mich mit meinem Boot an der Südwestecke der Schatzinsel fand. Die Sonne war aufgegangen, stand aber noch hinter dem Spyglass, dessen drohende Klippen auf dieser Seite fast dicht bis zur See herabfielen.

Der Mizzen-mast-Hill befand sich in meiner nächsten Nähe. Es war ein kahler, dunkler Hügel, der mit hundert bis hundertfünfzig Meter hohen Klippen ins Meer vorsprang und von großen Massen niedergestürzter Felsblöcke umschlossen war. Da ich kaum eine Viertelmeile von ihm entfernt war, wollte ich heranrudern und dort landen.

Diesen Plan gab ich bald wieder auf. Zwischen dem abgestürzten Felsen brüllte die Brandung und Sturzfluten folgten einander in Sekundenschnelle. Mein zerbrechliches Fahrzeug wäre sofort an der Küste zerschellt.

Das war aber noch nicht alles. Ich entdeckte unförmige, seltsame Ungeheuer mit einer glatten, widerlich glänzenden Haut, die auf flachen Felsstücken umherkrochen oder sich mit lautem Bellen in die See stürzten. Sie erschienen mir wie nackte Schnecken von ungeheurer Größe. Ich zählte etwa fünfzig bis sechzig Stück.

Später habe ich erfahren, dass es Seelöwen und ganz harmlose Tiere waren. Ihr Aussehen aber, zusammen mit den drohenden Felsen und der hochgehenden Brandung, verleidete mir diesen Landungsplatz. Lieber wollte ich auf See verhungern als solchen Gefahren entgegenzutreten.

Inzwischen bot sich aber eine bessere Gelegenheit zum Landen, als ich dachte. Ich erinnerte mich, dass Silver von einer Strömung gesprochen hatte, die längs der ganzen Westküste der Schatzinsel nach Norden fließt. Da ich bereits innerhalb ihres Bereiches war, zog ich es vor, meinen Landungsversuch bei dem weiter nördlich gelegenen, ganz mit hohen Pinien bewachsenen Kap – Cape of the Woods, wie es auf der Karte hieß – zu wiederholen.

Die See hob und senkte sich in langen, regelmäßigen Wellen und der Wind blies stetig und sanft von Süden. Wäre es anders gewesen, würde ich schon längst untergegangen sein. So aber trieb mein kleines Boot leicht und sicher auf den Wellen dahin. Während ich auf dem Boden des Fahrzeuges lag und in die Höhe blickte, sah ich oft einen großen blauen Wellenberg vor mir. Das Boot flog dann stets wie eine Sprungfeder in die Höhe und glitt leicht wie ein Vogel auf der anderen Seite wieder ins Wellental hinab. Nach einer Weile setzte ich mich auf und versuchte meine Geschicklichkeit im Rudern. Der leiseste Wechsel in der Verteilung des Gewichtes zieht aber böse Folgen in dem Verhalten eines so leichten Bootes nach sich. Ich hatte mich kaum gerührt, als das Boot sofort seine leicht tanzende Bewegung aufgab, einen steilen Wellenberg jäh hinunterlief und seine Nase tief in die Seite der nächsten Welle hineinsteckte. Bis auf die Haut durchnässt und zu Tode erschrocken nahm ich meine alte Stellung wieder ein. Das Boot beruhigte sich daraufhin und trug mich sanft wie zuvor auf den Wellen weiter. Es war klar, dass es nicht mit sich spaßen ließ; wie durfte ich aber hoffen, je wieder an Land zu kommen, wenn ich seinen Kurs in keiner Hinsicht beeinflussen konnte?

Ich bekam allmählich entsetzliche Angst, verlor aber trotz alledem nicht den Kopf. Zuerst schöpfte ich vorsichtig mit meiner Mütze das Wasser aus. Dann spähte ich behutsam über den Bootsrand, um dahinterzukommen, wie es mein Boot anstellte, so ruhig auf den Wellen dahinzutanzen.

Ich entdeckte, dass die Wogen keineswegs jene großen, glatten, glänzenden Berge waren, die man vom Schiff oder von der Küste aus erblickt, sondern dass jede für sich einer Hügelkette des festen Landes mit Gipfeln, Ebenen und Tälern glich. Sich selbst überlassen wand sich das leichte Boot zwischen den niedrigen Teilen hindurch und wich den steilen Abhängen und den hohen, schaumbedeckten Gipfeln der Wogen geschickt aus.

›Es ist klar‹, so dachte ich bei mir, ›ich muss liegen bleiben, wo ich bin, und darf das Gleichgewicht nicht stören. Es ist aber ebenso klar, dass ich das Ruder auslegen und dem Boot von Zeit zu Zeit an glatten Stellen einen Schlag oder zwei nach dem Lande zu geben kann.‹ In der unbequemsten Stellung der Welt lag ich, auf meine Ellenbogen gestützt, und holte nur gelegentlich zu einem schwachen Schlag in der Richtung nach dem Land aus.

So mühsam und langweilig die Arbeit auch war, machte ich doch sichtbare Fortschritte. Als ich mich dem Cape of the Woods näherte, mochte ich der Küste immerhin um einige Hundert Meter näher gekommen sein. Ich konnte die grünen Baumwipfel sich im Winde hin und her wiegen sehen und war überzeugt, den nächsten Landvorsprung sicher zu erreichen.

Es war aber auch höchste Zeit, denn der Durst begann mich zu quälen. Die glühende Hitze der Sonne, ihre Rückstrahlung auf dem Wasser, das Seewasser, das mich durchnässte, an mir trocknete und sogar meine Lippen mit einer Salzkruste überzog, all das rief ein unlöschbares Brennen in meinem Hals und bohrende Kopfschmerzen hervor. Der Anblick der Bäume erfüllte mein Herz mit Sehnsucht nach dem Land. Die Strömung riss mich aber wieder an dem Vorgebirge vorbei. Doch der Blick in die nächste Bucht, die sich unvermittelt vor mir öffnete, bot mir ein Bild, das mich Landung und Durst und alles andere vergessen ließ.

Nicht eine halbe Meile von mir entfernt erblickte ich die *Hispaniola* unter Segel. Ich sagte mir natürlich, dass ich unsern Feinden in die Hände fallen würde. Aber ich fühlte mich so elend vor Durst, dass ich kaum wusste, ob ich darüber traurig oder froh sein sollte. Bevor ich noch richtig zur Besinnung kam, erlebte ich eine so mächtige Überraschung, dass ich nichts weiter tun konnte als nur hinstarren und mich wundern.

Die *Hispaniola* hatte ihr Groß- und zwei Klüversegel gesetzt und die schöne weiße Leinwand glänzte in der Sonne wie Schnee oder Silber. Als ich das Schiff zu Gesicht bekam, waren alle ihre Segel vom Wind gefüllt. Sie steuerte einen nordwestlichen Kurs und ich dachte, die Männer wollten um die Insel herum und zurück nach dem Ankerplatz segeln. Plötzlich steuerte sie aber mehr und mehr nach Westen und ich glaubte schon, die Piraten hätten mich entdeckt und wollten Jagd auf mich machen. Schließlich machte der Schoner wieder eine Drehung, kam dann direkt gegen den Wind zu liegen und stand hilflos mit hin und her flatternden Segeln.

»Ungeschickte Burschen«, sagte ich, »sie müssen noch immer betrunken sein.« Und ich dachte daran, wie Kapitän Smollett sie auf die Beine gebracht haben würde.

Inzwischen veränderte der Schoner wiederum seine Richtung, segelte eine oder zwei Minuten schnell dahin und stand von Neuem still. Dieses Spiel wiederholte sich immer und immer wieder. Hin und her, auf und nieder, nördlich und südlich, östlich und westlich segelte die *Hispaniola,* um jedes Mal wieder mit flatternden Segeln stillzustehen. Es wurde mir klar, dass niemand am Steuer stand. Wo aber steckten die Wächter, wenn es so war? Sie mussten entweder einen Höllenrausch ausschlafen oder das Schiff verlassen haben. Sollte ich nicht versuchen, an Bord zu kommen und das Schiff seinem Kapitän zurückzubringen?

ROBERT L. STEVENSON

Die Strömung trug mein leichtes Boot und den Schoner mit gleicher Geschwindigkeit nach Norden. Die Bewegungen des Schoners waren aber so wild und unregelmäßig, dass er sicherlich nicht schneller, sondern eher langsamer vorwärtskam. Hätte ich gewagt, mich aufzurichten und das Ruder zu nehmen, hätte ich ihn sicher eingeholt. Das Abenteuerliche des Planes gefiel mir und der Gedanke an das Wasserfass neben der Küche verdoppelte meinen wachsenden Mut. Ich setzte mich auf und empfing sofort einen Willkommensgruß in Gestalt einer gischtenden Welle. Doch ließ ich diesmal nicht von meinem Plan ab und begann mit aller Kraft vorsichtig nach der steuerlosen *Hispaniola* zu rudern. Einmal schlug so viel Wasser in das Boot, dass ich anhalten und es ausschöpfen musste, während mein Herz vor Angst wie ein Vogel flatterte. Allmählich erhielt ich jedoch Übung und steuerte mein Boot zwischen den Wogen hindurch. Nur dann und wann führte ich einen Ruderschlag und wurde auch nur noch selten von einer der Wellen überspült.

Ich kam dem Schoner schnell näher. Schon sah ich den blitzenden Messingbeschlag an dem herrenlos hin- und herschwankenden Steuerruder. Noch immer zeigte sich keine Menschenseele an Bord. Ich konnte nicht anders, ich musste annehmen, dass das Schiff verlassen war; wenn nicht, so lagen die Wächter betrunken in der Kajüte. Ich konnte sie einsperren und dann mit dem Schiff machen, was ich wollte.

Endlich bot sich mir die ersehnte Gelegenheit. Der Wind ließ einige Minuten hindurch fast ganz nach. Die *Hispaniola* drehte sich in der Strömung langsam um ihre eigene Achse und kehrte mir schließlich das Heck zu. Das Kajütenfenster stand noch immer weit offen und die über dem Tisch hängende Lampe brannte nach wie vor. Das Großsegel flappte hilflos hin und her. Wäre die Strömung nicht gewesen, hätte sich das Schiff nicht von der Stelle gerührt. Mit doppelter Kraft nahm ich meine Jagd wieder auf.

Ich war keine dreißig Meter mehr von der *Hispaniola* entfernt, als ein neuer Windstoß ihre Segel füllte und der Schoner wie eine Schwalbe vorwärtsflog.

Zuerst wollte ich verzweifeln, hatte aber keinen Grund dazu, wie ich zu meiner Freude sofort feststellte. Der Schoner drehte sich wieder, wandte mir seine Breitseite zu und hatte im Nu die Hälfte, dann zwei Drittel und schließlich drei Viertel der uns trennenden Entfernung zurückgelegt. Schon sah ich den weißen Gischt der Wogen vorn unter seinem Bug. Unendlich groß erschien er mir von meinem kleinen Boot aus.

Da kam mir ein Gedanke. Zeit zum Überlegen blieb mir nicht – kaum Zeit zum Handeln, zu meiner Rettung. Ich schwebte auf dem Gipfel einer Welle, während der Schoner schon auf der nächsten ankam. Der Bugspriet erhob sich über meinem Kopf – ich stand auf, sprang in die Höhe und stieß das leichte Boot dabei unter Wasser. Mit einer Hand ergriff ich den Klüverbaum, mit einem Fuß fand ich an Steg und Brasse Halt. Als ich dort keuchend hing, sagte mir ein dumpfer Ton, dass der Schoner mein Fahrzeug in den Grund gebohrt hatte und es jetzt keinen Rückzug mehr für mich gab.

ROBERT L. STEVENSON

25

Ich hatte kaum Fuß gefasst, als das Klüversegel mit einem donnerähnlichen Knall gegen das Bugspriet anschlug. Die Erschütterung war so stark, dass der Schoner bis zum Kiel erzitterte. Im nächsten Augenblick schon prallte das Segel wieder zurück und hing schlaff herab.

Dieser Stoß hatte mich nahezu ins Meer geschleudert. Ich verlor darum keine Zeit, kroch längs des Klüvers entlang und schwang mich im nächsten Augenblick auf das Deck.

Ich befand mich auf der Leeseite des Vorschiffes und das vom Wind geschwellte Großsegel verbarg zum Großteil das Hinterdeck meinen Blicken. Nicht eine Menschenseele war zu sehen. Die Planken, die seit der Meuterei nicht mehr gewaschen worden waren, trugen die Spuren vieler Füße. Eine am Hals abgeschlagene leere Flasche rollte von einer Seite des Schiffes zur anderen.

Die *Hispaniola* kam wieder in den Wind. Die Rahen hinter mir knarrten, das Steuerruder sauste auf die andere Seite und das ganze Schiff ächzte laut. Die Großrahe schwang herum und enthüllte mir das Leehinterdeck.

Dort waren die beiden Wächter! Der Mann mit der roten Mütze lag steif wie ein Stock auf dem Rücken, streckte die Arme aus und zeigte zwischen den offenen Lippen seine Zähne. Israel Hands lehnte gegen den Schiffsrand, das Kinn war ihm auf die Brust gesunken und sein Gesicht war so weiß wie eine Talgkerze. Eine Zeit lang schlug das Schiff wie ein wildes Pferd nach allen Seiten aus. Bald legte sich der Wind von dieser, bald von jener Seite in die Segel. Die Rahen schwangen hin und her, der Mast stöhnte laut unter dem Druck. Dann und wann spülte eine Welle über Bord und das Schiff erzitterte unter dem Anprall einer schweren See. Der aufgetakelte Schoner benahm sich in diesem Wetter hilfloser als mein jetzt auf dem Meeresboden ruhendes Boot.

Bei jedem Stoß des Schoners wurde der Mann mit der roten Mütze hin- und hergeworfen, veränderte aber dabei nicht im Mindesten seine Haltung oder sein hartnäckiges, zähnefletschendes Grinsen. Es war ein schauriger Anblick: Bei jedem Stoß schien auch Hands mehr und mehr in sich zusammenzusinken. Dabei rutschte der ganze Körper immer weiter vor und sein Kopf sackte hilflos auf die Brust. Rund um die beiden bemerkte ich Blutspuren und schloss daraus, dass sie einander in ihrer Trunkenheit ermordet hatten.

Während ich noch wie erstarrt zu ihnen hinüberblickte, drehte sich Israel Hands, als das Schiff einen Augenblick stilllag, teilweise herum. Mit einem leisen Stöhnen schob er sich wieder hoch. Dieses Stöhnen, das mir gleichermaßen seine Schmerzen wie seine Schwäche verriet, weckte mein Mitleid. Aber dann dachte ich an das in dem Apfelfass belauschte Gespräch und jede Spur von Mitleid schwand wieder.

Ich ging nach hinten, bis ich den Großmast erreichte.

»An Bord zurückgekehrt, Mr Hands, melde ich mich zur Stelle«, sagte ich ironisch.

Mühsam schlug er seine Augen auf, zu schwach, um Erstaunen zu empfinden, er stieß nur ein Wort hervor: »Brandy.«

ROBERT L. STEVENSON

Ich sagte mir, dass keine Zeit zu verlieren sei, schlüpfte nach hinten und eilte hinunter in die Kajüte.

Die Unordnung, die dort herrschte, ließ sich nur schwer beschreiben. Alle verschlossenen Kasten und Schränke waren vermutlich auf der Suche nach der Karte aufgebrochen worden. Auf dem Fußboden lag dick der getrocknete Schlamm von den Stiefeln der Halunken, wenn sie sich nach ihren Märschen durch das Sumpfland zu Beratungen in der Kajüte niedergelassen hatten. Die einstmals so sauberen, weiß gestrichenen und mit Gold-leisten verzierten Wände trugen die Spuren schmutziger Hände. Dutzende leere Flaschen klirrten beim Hin- und Herrollen des Schiffes gegeneinander. Eines der medizi-nischen Bücher des Doktors lag offen auf dem Tisch und die Hälfte der Blätter war herausgerissen. Über all diese Verwüstung warf die Lampe noch immer ihr trübes Licht.

Ich ging in die Vorratsräume hinab. Sämtliche Fässer waren verschwunden und die meisten Flaschen ausge-trunken und fortgeworfen worden. Kein Wunder, dass seit der Meuterei auch nicht einer der Piraten nüchtern gewesen war.

Schließlich fand ich für Hands eine noch halb volle Fla-sche Brandy. Für mich nahm ich etwas Zwieback, einige eingelegte Früchte, Rosinen und ein Stück Käse. Dann ging ich wieder an Deck, legte meine Vorräte außer Reich-weite des Zimmermanns nieder, ging nach vorn zum Was-serfass und löschte meinen brennenden Durst. Dann erst und nicht früher brachte ich Hands den Brandy.

Er hatte die Flasche beinahe ausgetrunken, bevor er sie absetzte.

»Verdammt«, knurrte er, »das hat mir gut getan.«

Ich hatte mich in einem Winkel niedergesetzt und zu essen angefangen.

»Schwer verletzt?«, fragte ich ihn.

Er grunzte oder richtiger gesagt bellte seine Antwort.

»Wenn der Doktor an Bord wäre«, sagte er, »wäre ich in wenigen Tagen wieder auf den Beinen. Aber ich habe kein Glück, das ist immer so gewesen. Der Bursche da ist tot«, fügte er hinzu und wies auf den Mann mit der roten Mütze. »Er war übrigens kein Seemann. Und wo kommst denn du her?«

»Ich bin an Bord gekommen«, sagte ich, »um das Schiff in Besitz zu nehmen, Hands. Ihr habt mich also bis auf Weiteres als Euren Kapitän zu betrachten.«

Er schaute mich verdrossen an, sagte aber nichts. Sein Gesicht hatte wieder etwas Farbe bekommen, obwohl er noch immer krank und elend aussah und mit jeder Bewegung des Schiffes hin- und hertaumelte.

»Nebenbei bemerkt, Hands«, fuhr ich fort, »kann ich jene Fahne auf diesem Schiff nicht dulden und will sie darum mit Eurer Erlaubnis streichen. Besser keine als diese.«

Ich lief zur Flaggenschnur, holte die verwünschte schwarze Flagge herunter und warf sie über Bord.

»God save the King!«, rief ich und schwenkte meine Mütze. »Mit dem Regiment Kapitän Silvers ist es aus.«

Das Kinn noch immer auf der Brust, sah mich Hands scharf und verschlagen von der Seite an.

»Ich schätze«, sagte er endlich – »ich schätze, Käpt'n Hawkins, Ihr habt die Absicht, wieder an Land zu gehen? Was meint Ihr, sollen wir nicht die Sache besprechen?«

ROBERT L. STEVENSON

»Gewiss«, sagte ich, »ich bin dabei, Hands. Sprecht nur weiter.« Und mit kräftigem Appetit setzte ich mich wieder zu meiner Mahlzeit nieder.

»Dieser Mann«, begann er und zeigte mit einer schwachen Kopfbewegung auf den Leichnam, »O'Brien war sein Name – ein echter Irländer – dieser Mann und ich setzten die Segel, die Ihr da seht, um nach dem Ankerplatz zurückzufahren. Er ist jetzt tot und Ihr seid nicht der Mann, mit dem Schiff allein fertigzuwerden, das kann ich Euch gleich sagen. Hört mir also zu. Gebt mir zu essen und zu trinken und einen alten Lappen, damit ich meine Wunde verbinden kann, und dafür will ich Euch helfen, das Schiff sicher zurückzubringen. Was meint Ihr zu diesem Vorschlag?«

»Ich sage Euch eins«, entgegnete ich, »ich kehre nicht auf Kapitän Kidds Ankerplatz zurück. Ich fahre in die Nordbucht und setze den Schoner dort sachte auf den Sand.«

»Na, was denn sonst?«, rief er aus. »Ich bin doch kein solcher Idiot, dass ich nicht merken kann, wo Ihr hinauswollt. Habe ich nicht Augen um zu sehen? Ich habe mein Spiel in den Händen gehabt und es verloren und Ihr habt jetzt den Wind vor mir voraus. In die Nordbucht? Was bleibt mir denn anderes übrig? Ich würde Euch sogar helfen, das Schiff bis an das Hinrichtungsdock zu bringen. Zum Teufel! Ja, das würde ich.«

Sein Vorschlag erschien mir vernünftig und wir wurden auf der Stelle einig. Nach einigen Minuten segelte die *Hispaniola* längs der Küste der Schatzinsel flott vor dem Winde dahin. Wenn alles gut ging, konnten wir noch während der Flut in die Nordbucht einlaufen und den Schoner sicher auf den Strand setzen.

Dann band ich das Steuerruder fest und ging hinunter zu meiner Seemannskiste, aus der ich ein weiches seidenes Taschentuch herausnahm, das mir meine Mutter geschenkt hatte. Mit meiner Hilfe verband sich Hands damit die tiefe, blutende Wunde, die er am Schenkel hatte. Nachdem er noch etwas gegessen und noch einige Schluck Brandy getrunken hatte, begann er sich zusehends zu erholen. Er sah kräftiger aus, seine Stimme klang lauter und fester – er war wieder ein anderer Mann geworden.

Die Brise half uns großartig vorwärts. Wir flogen geradezu dahin, während die Küste in stets wandelnden Bildern an uns vorüberzog. Bald hatten wir das Hochland hinter uns und segelten an einem flachen, spärlich mit Zwergpinien besetzten, sandigen Uferstreifen entlang. Bald blieb auch dieser zurück und wir bogen um den Felsvorsprung, in den die Insel im Norden ausläuft.

Ich war sehr stolz auf mein neues Kommando und freute mich über das helle, sonnige Wetter und das abwechslungsreiche, schöne Bild der Küste. An Wasser und Lebensmitteln besaß ich jetzt, was ich nur wollte, und mein Gewissen, das mir nach der Flucht wenig Ruhe gelassen hatte, war durch meine große Eroberung wieder ganz beruhigt. Mein Glück wäre vollkommen gewesen, wenn mir nicht fortwährend die Blicke des Zimmermanns gefolgt wären. Ein sonderbares Lächeln wich nicht von seinem Gesicht. Es war das Lächeln eines hilflosen, alten Mannes, aber es lag ein heimtückischer Zug darin, wie mich Israel Hands bei all meinem Tun belauerte.

ROBERT L. STEVENSON

26

Der ganz nach unserem Wunsch wehende Wind sprang
jetzt nach Westen um. So war es uns möglich, noch leichter von der Nordostecke der Insel zur Mündung der
Nordbucht zu segeln. Nur verging uns die Zeit jetzt recht
langsam. Wir konnten nicht vor Anker gehen, hatten aber
auch nicht den Mut, das Schiff auf Strand zu setzen, solange die Flut nicht ein gutes Stück weitergestiegen war.
Der Zimmermann erklärte mir, wie ich das Schiff beidrehen musste, und nach vielen vergeblichen Versuchen
gelang es mir endlich. Schweigend ließen wir uns beide
zu einer zweiten Mahlzeit nieder.

»Käpt'n«, sagte Israel nach einer Weile mit demselben unheimlichen Lächeln, »mein alter Schiffskamerad
O'Brien liegt noch immer da. Was meint Ihr, sollten wir
ihn nicht über Bord werfen? Ich bin in der Regel nicht
sehr von Gefühlen geplagt und bedaure es auch nicht,
dass ich mit ihm abgerechnet habe. Er verdirbt uns aber
die Aussicht, meint Ihr nicht auch?«

»Ich bin nicht stark genug dazu und will auch nichts
davon wissen. Meinetwegen mag er dort liegen bleiben«,
entgegnete ich.

»Die *Hispaniola* ist ein Unglücksschiff, Jim«, fuhr er, mit
den Augen blinzelnd, fort. »Wie viele arme Seeleute sind
nicht schon auf der *Hispaniola* getötet worden, seitdem wir,
Ihr und ich, in Bristol an Bord gingen! Nie zuvor habe ich
solch ein Unglück erlebt. Zum Beispiel dieser O'Brien da
– er ist jetzt tot, nicht wahr? Ich bin kein Gelehrter und Ihr
seid ein Bursche, der schreiben und lesen kann. Also, gera-

deheraus gesagt, glaubt Ihr, dass ein toter Mann für immer tot ist oder dass er wieder lebendig werden und zurückkommen kann?«

»Ihr könnt das Fleisch töten, Hands, aber nicht die Seele. Das solltet Ihr doch schon wissen«, erwiderte ich. »O'Brien ist jetzt in einer anderen Welt und beobachtet uns vielleicht in diesem Augenblick.«

»Ah!«, sagte er. »Dann wäre es ja Zeitverschwendung, einen Menschen zu töten. Wie dem aber auch sei, ich gebe nicht viel auf Geister. Ich will es auf die Geister ankommen lassen, Jim. Sie tun einem nichts. Und nun, wo wir uns ausgesprochen haben, würde ich es als einen Gefallen auffassen, wenn Ihr in die Kajüte gehen und mir eine – hol's der Kuckuck, ich finde den Namen nicht –, nun ja, eine Flasche Wein holen wolltet, Jim. Dieser Brandy hier ist zu stark für meinen Kopf.«

Der Wunsch des Zimmermanns und seine nur schlecht verhehlte Unruhe kamen mir sehr seltsam vor. Dass er Wein dem sonst gewohnten Brandy vorzog, schien geradezu unglaubwürdig. Die ganze Geschichte war sicher nur ein Vorwand. Er wollte mich vom Deck entfernen – das war klar; zu welchem Zweck aber, blieb mir ein Rätsel. Seine Augen wichen den meinen aus, sein Blick wanderte fortwährend hin und her, auf und nieder, jetzt nach oben zum Himmel, dann wieder zur Seite nach dem toten O'Brien. Die ganze Zeit über lächelte er verlegen. Ein Kind hätte sehen können, dass er etwas im Schilde führte. Ich antwortete ihm sofort. Vor diesem dummen Kerl konnte ich meinen Argwohn leicht verbergen.

ROBERT L. STEVENSON

»Wein?«, sagte ich. »Der bekommt Euch wirklich besser. Wollt Ihr weißen oder roten haben?«

»Das ist mir, offen gesagt, ganz einerlei, Kamerad«, erwiderte er, »wenn er nur kräftig ist und es recht viel von der Sorte gibt.«

»Schon recht«, antwortete ich. »Ich bringe Euch Portwein, Hands, aber wahrscheinlich werde ich ihn erst suchen müssen.«

Möglichst geräuschvoll stieg ich die Kajütentreppe hinunter, zog unten meine Schuhe aus, lief leise den Schiffsraum entlang, kletterte die Leiter zum Logis empor und sah vorsichtig hinaus. Ich wusste, dass er mich dort nicht erwarten würde, war aber trotzdem auf der Hut. Meine schlimmsten Befürchtungen bewahrheiteten sich nur zu sehr.

Obwohl sein verwundetes Bein ihm bei jeder Bewegung starke Schmerzen bereiten musste, kroch er stöhnend auf Händen und Füßen ziemlich rasch über das Deck. In einer halben Minute stand er vor einer großen Rolle Tauwerk und zog ein kurzes, bis an das Heft mit Blut beflecktes Messer daraus hervor. Er schaute die Waffe einen Augenblick flüchtig an und prüfte die Schneide an seiner Hand. Dann verbarg er das Messer hastig in seiner Brusttasche und schleppte sich wieder auf seinen alten Platz an der Schiffsbrüstung zurück.

Dies war alles, was ich wissen wollte. Israel konnte sich bewegen und war jetzt obendrein bewaffnet. Und wer sein Opfer sein sollte, daran gab es keinen Zweifel für mich. Was er nachher vorhatte, konnte ich nicht erraten. Entweder wollte er versuchen, sich von der Nordbucht quer über die Insel zum Lager seiner Kameraden im Sumpf zu schleppen oder er feuerte den Neunpfünder ab, um seine Kameraden dadurch herbeizurufen.

In einem Punkt glaubte ich ihm aber vertrauen zu dürfen, da hier unsere Interessen übereinstimmten, und das war die Sorge um das Schiff. Wir beide wünschten, es an einem geschützten Platz sicher auf den Strand zu setzen, wo es ohne viel Gefahr und Arbeit wieder flottgemacht werden konnte. Solange dies nicht geschehen war, hielt ich mein Leben für sicher.

Während ich mir das überlegte, war ich nicht müßig geblieben. Ich hatte mich nach der Kabine zurückgeschlichen, meine Schuhe wieder angezogen und die erste beste Flasche Wein ergriffen. Jetzt erschien ich mit der Flasche unter dem Arm wieder an Deck.

Hands lag da, wie ich ihn verlassen hatte, zusammengesunken wie ein Bündel und mit geschlossenen Augen, als wäre er zu schwach, das Sonnenlicht zu ertragen. Er blickte auf, als ich kam, schlug der Flasche den Hals mit einer Geschicklichkeit ab, die auf lange Übung schließen ließ, und nahm »Auf unser Glück!« einen tiefen Zug. Dann lag er eine Weile ruhig, bis er eine Rolle Tabak hervorzog und mich bat, ihm einen Priem abzuschneiden.

»Schneide mir ein Stück ab«, sagte er, »denn ich habe kein Messer und besitze auch nicht Kraft genug dazu. Ach, Jim, ich glaube, es ist aus mit mir! Schneide mir ein Priemchen ab, das wohl mein letztes sein wird, Junge. Ich trete eine lange Reise an und täusche mich nicht.«

»Nun ja«, entgegnete ich, »ich will Euch etwas Tabak abschneiden. Wenn ich aber in Eurer Haut steckte und es so schlimm mit mir stünde, würde ich wie ein guter Christ ans Beten denken.«

»Warum?«, sagte er. »Erkläre mir doch, warum?«

»Warum?«, rief ich aus. »Ihr habt mich soeben erst über die Toten befragt. Ihr habt Euren Eid gebrochen, Ihr habt gelogen, betrogen und Blut vergossen. Ein Mann, den Ihr getötet habt, liegt in diesem Augenblick zu Euren Füßen und Ihr fragt mich, warum! Um Himmels willen, Hands – darum!«

Ich sprach in einer gewissen Erregung, weil ich an den blutigen Dolch dachte, den er in seiner Tasche verborgen hatte und mit dem er mich aus dem Hinterhalt töten wollte. Er nahm nun einen großen Schluck Wein und begann mit einer an ihm ganz ungewohnten Feierlichkeit:

»Dreißig Jahre lang«, sagte er, »»bin ich zur See gefahren und habe Gutes und Böses, schönes Wetter und schlechtes erlebt. Ich habe gehungert, habe blanke Messer aus den Scheiden fahren sehen und was sonst noch alles! Ich sage dir aber, ich habe noch nie erlebt, dass Gutes von Gutem gekommen ist. Wer zuerst zuschlägt, bleibt am Leben, und mein Glaubensbekenntnis lautet: ›Tote Menschen beißen nicht, Amen, so sei es.‹ Und nun«, fügte er in einem anderen Ton hinzu, »nun reicht es mit den Narreteien. Die Flut ist jetzt weit genug fortgeschritten. Tut darum, was ich Euch sage, Käpt'n Hawkins, dann laufen wir mühelos ein und beenden unsere Fahrt.«

Wir hatten alles in allem kaum noch zwei Meilen zurückzulegen. Es war aber hier sehr schwierig, den Schoner zu steuern, da die Einfahrt in die Nordbucht nicht nur sehr eng und schmal war, sondern sich auch nach Osten und Westen hinzog. Der Schoner musste außerordentlich behutsam manövriert werden. Ich denke aber, dass ich mich geschickt anstellte und Hands ein vorzüglicher Lotse war, denn wir liefen mit einer solchen Sicherheit ein und glitten kreuzend an den Sandbänken vorüber, dass es ein Vergnügen gewesen wäre, uns dabei zuzusehen.

Kaum hatten wir das Vorgebirge umsegelt, als uns auch schon das Land ringsum einschloss. Die Küste der Nordbucht war ebenso dicht bewaldet wie die des südlichen Ankerplatzes. Das Becken war jedoch länger und schmäler und glich mehr der Mündung eines Flusses, was es in Wirklichkeit auch war. Gerade vor uns, am südlichen Ende der Bucht, sahen wir ein völlig verfallenes Wrack. Einst ein großes, dreimastiges Segelschiff, lag es so lange den Unbilden der Witterung preisgegeben, dass es jetzt fast ganz mit Seetang bedeckt war. Auf dem Deck wucherten allerlei Strandgewächse, die in voller Blüte standen. Es war ein melancholischer Anblick, bewies uns aber, dass der Ankerplatz ruhig war.

»Siehst du«, sagte Hands, »das ist ein Prachtfleck, um unser Schiff auflaufen zu lassen. Feiner, glatter Sand, nicht ein einziger Stein, Bäume ringsum und dazu auf jenem alten Schiff ein ganzer Blumengarten.«

»Wie aber bekommen wir das Schiff wieder los, wenn es einmal aufgelaufen ist?«

»Nun, das machen wir so«, antwortete er, »du gehst bei niedrigem Wasserstand mit einem Tau dort drüben an Land, wickelst es ums Gangspill und wartest die Flut ab. Sobald die Flut kommt, ziehen alle Mann an dem Tau und sanft wie eine Taube gleitet das Schiff zurück

ROBERT L. STEVENSON

ins Wasser. Wir sind dem Ufer übrigens schon ganz nahe und fahren zu schnell. Steuerbord jetzt – fest – steuerbord – nur ein wenig backbord – fest – fest!«

So gab er mir Befehle, denen ich atemlos gehorchte, bis er ganz plötzlich rief: »Jetzt, mein Junge, luv all, was geht!« Ich riss das Steuer herum, die *Hispaniola* drehte sich und lief mit dem Bug gerade auf die flache, bewaldete Küste zu.

In der Aufregung über dieses letzte Manöver hatte ich den Zimmermann aus den Augen gelassen. So lebhaft fesselte mich das Auflaufen des Schoners, dass ich die mir drohende Gefahr ganz vergaß. Weit auf der Steuerbordseite über den Schiffsrand gelehnt wartete ich atemlos auf den Augenblick, da der Schiffsbug sich in den Sand bohrte. Vielleicht wäre ich wehrlos niedergemacht worden, wenn nicht eine plötzliche Unruhe mich veranlasst hätte, mich umzudrehen. Vielleicht hatte ich auch ein Geräusch hinter mir gehört oder einen Schatten neben mir gesehen. Vielleicht war es auch nur ein Instinkt wie der eines Tieres gewesen. Als ich mich umdrehte, hatte sich Hands mit dem Dolch in der Hand mir schon auf halbem Weg genähert.

Wir schrien beide laut auf, als sich unsere Blicke trafen. Während es aber bei mir der schrille Schrei der Angst war, war es bei ihm ein Wutgebrüll wie das eines tollen Stiers. Im gleichen Augenblick machte er einen mächtigen Satz vorwärts und ich sprang nach der entgegengesetzten Seite. Dabei ließ ich das Steuerruder los, das scharf leewärts prallte und mir das Leben rettete, wie ich glaube. Es schlug Hands über die Brust und lähmte ihn für einen Augenblick völlig.

Bevor er sich erholt hatte, war ich aus der Ecke, in die er mich gedrängt hatte, heraus und hatte nun das ganze Deck zum Ausweichen. Gerade vor dem Großmast blieb ich stehen, zog eine Pistole und zielte kaltblütig. Obwohl Hands bereits wieder auf mich zukam, drückte ich ab. Der Hammer fiel nieder, es folgte aber weder Blitz noch Knall. Das Seewasser hatte das Zündpulver verdorben!

Es war erstaunlich, wie gewandt sich Hands trotz seiner Verwundung bewegte. Sein graues Haar fiel ihm dabei in die Stirn und vor Wut und Ärger war sein Gesicht so rot wie ein Puter. Ich hatte weder Zeit, meine andere Pistole zu ziehen, noch Lust dazu, denn ich war überzeugt, dass sie ebenfalls unbrauchbar sein würde. Eins war mir aber klar: Ich durfte nicht weiter zurückfliehen, da er mich sonst sehr schnell hinten am Heck wieder in die Enge treiben würde. Ich stellte mich daher hinter den Großmast, der einen stattlichen Umfang hatte, und wartete mit fieberhaft angespannten Nerven auf sein Kommen.

Da Hands sah, dass ich Versteck mit ihm spielen wollte, hielt auch er an. Ein oder zwei Minuten vergingen mit Scheinmanövern von beiden Seiten. Das war ein Spiel, wie ich es oft auf den heimatlichen Felsen unserer Bucht gespielt hatte, wenn auch nie mit so wild klopfendem Herzen wie jetzt. Es war aber, wie gesagt, ein Knabenspiel, in dem ich es wohl mit einem alten, noch dazu verwundeten Seemann aufnehmen konnte. Aber es war mir klar, dass ich den tödlichen Ausgang dieses Spiels zwar lange hinauszögern, aber nicht endgültig verhindern konnte.

Plötzlich und in diesem Augenblick für uns beide unerwartet lief die *Hispaniola* auf Grund. Der Schoner bäumte sich auf, bohrte sich knirschend in den Sand und fiel dann jäh nach backbord über. Das Deck bildete einen Winkel von fünfundvierzig Grad und ein Schwall Wasser strömte durch die Abflusslöcher herein und staute sich in einem großen Tümpel zwischen dem Deck und der Schiffsbrüstung.

Wir verloren beide das Gleichgewicht und rollten fast zusammen in den Wassertümpel, wohin uns der tote Mann mit der roten Mütze nachfolgte, die Arme noch immer steif ausgestreckt. Mein Kopf prallte gegen den Fuß des Zimmermanns und zwar so wuchtig, dass mir die Zähne im Mund klapperten. Trotz des jähen Schmerzes war ich der Erste, der wieder auf den Füßen stand, da Hands sich noch von der kalten Umarmung des Toten befreien musste. Durch die Schlagseite des Schoners war das Gehen auf dem Verdeck fast unmöglich geworden. Es galt einen neuen Fluchtweg zu suchen. Schnell wie der Gedanke sprang ich auf die zum Großmast führenden Wanten und hastete Hals über Kopf hinauf. Ich gönnte mir nicht eher einen Atemzug, als bis ich auf den Quersalings saß.

Es war mein Glück gewesen, dass ich so schnell gehandelt hatte. Kaum einen halben Fuß unter mir hatte sich der Dolch Israels ins Holz gebohrt, als ich aufgesprungen war. Mit weit geöffnetem Mund starrte der Zimmermann jetzt zu mir herauf – ein Bild der vollkommensten Überraschung und Enttäuschung.

Ich verlor keine Zeit und lud meine Pistole mit frischem Zündpulver und versah, um doppelt sicher zu gehen, auch die andere mit neuer Ladung und Zündung.

Diese meine Beschäftigung berührte Hands offenbar höchst unangenehm, da er einsah, dass die Würfel jetzt gegen ihn gefallen waren. Nach langem Zögern wagte auch er sich auf die Wanten und kletterte stöhnend hinauf, den Dolch zwischen den Zähnen. Sein verwundetes Bein behinderte ihn aber und er kam nur langsam und schwerfällig vorwärts. Ich war mit allen meinen Vorbereitungen fertig, noch ehe er ein Drittel des Weges zurückgelegt hatte. Mit einer Pistole in jeder Hand redete ich ihn an.

»Noch einen einzigen Schritt, Hands«, sagte ich, »und ich blase Euch Euer Lebenslicht aus. Ihr wisst ja, tote Menschen beißen nicht«, fügte ich lachend hinzu.

Er hielt sofort an. An seinem verkniffenen Gesicht konnte ich sehen, dass er sich zu denken bemühte. Diese Arbeit schien aber so langsam und mühselig vor sich zu gehen, dass ich ihn von meiner sicheren Stellung aus laut verspottete. Endlich fand er die Sprache wieder, doch sein Gesicht zeigte noch immer denselben verdutzten Ausdruck. Um reden zu können, nahm er den Dolch aus dem Mund, rührte sich aber sonst nicht vom Fleck.

»Jim«, sagte er, »wir beide, du und ich, haben uns festgerannt und werden wieder Frieden schließen müssen. Du wärst jetzt schon in meinen Händen, wenn das Schiff nicht übergeholt hätte. Ich habe aber kein Glück und muss mich dir darum ergeben, ich, ein alter Seemann, einem Schiffsjungen wie dir, das ist bitter, Jim.«

Ich lauschte seinen Worten und lächelte dabei so eingebildet wie ein Pfau, als er plötzlich mit seiner rechten Hand über die Schulter ausholte. Wie ein Pfeil zischte etwas durch die Luft; ich fühlte einen Schlag, gleich darauf einen stechenden Schmerz und entdeckte, dass ich mit der Schulter an den Mast festgenagelt war. Vor Schmerz und Schreck drückte ich meine beiden Pistolen ab – ich bin sicher, daß ich nicht gezielt hatte –, gleich darauf entfielen sie meinen Händen. Sie fielen aber nicht allein. Mit einem dumpfen Aufschrei ließ der Zimmermann die Wanten los und stürzte kopfüber ins Wasser.

27

Durch die Schlagseite des Schoners hingen die Masten weit über dem Wasser – und ich sah von meinem Sitz auf der Quersaling nichts als den Wasserspiegel der Bucht unter mir. Hands, der nicht so weit oben und daher dem Schiffsdeck näher gewesen war, fiel zwischen mir und der Reling hinunter. Sein Körper kam noch einmal an die Oberfläche und sank dann auf den Grund. Als sich das Wasser wieder beruhigt hatte, konnte ich ihn auf dem klaren, hellen Sand im Schatten des Schiffes liegen sehen. Einige Fische schwammen neugierig an dem Toten vorüber. Manchmal, wenn das Wasser sich bewegte, schien er sich zu rühren, wie um aufzustehen; er war aber wirklich tot – erschossen und ertrunken.

Als mir das zu Bewusstsein kam, wurde mir ganz elend und ich fühlte mich schwach und verzweifelt. Das warme Blut floss mir über Brust und Rücken. Der Dolch brannte an der Stelle, wo er meine Schulter an den Mast genagelt hatte, wie heißes Eisen. Dennoch quälte mich nicht einmal so sehr der Schmerz in der Schulter – den ich, wie mir schien, ohne Klagen ertragen konnte – als vielmehr die schreckliche Angst, vom Mastkorb hinunter in das stille grüne Wasser neben die Leiche des Zimmermanns zu stürzen.

Ich hielt mich mit beiden Händen krampfhaft fest, bis mir die Fingernägel fast brachen, und schloss meine Augen. Allmählich aber gewann ich meine Fassung wieder. Mein Puls schlug nicht mehr so heftig und ich wurde wieder Herr meiner selbst.

Mein erster Gedanke war, den Dolch herauszuziehen. Entweder aber saß er zu fest oder meine Nerven ließen mich im Stich. Ich zitterte wie in Fieberschauern. Merkwürdigerweise aber befreite mich dieser Schüttelfrost von dem Dolch. Das Messer hatte mich um ein Haar ganz verfehlt und nur ein Stückchen Haut getroffen und dieses riss bei der plötzlichen Bewegung los. Die Wunde blutete zunächst stärker, ich war aber wieder mein eigener Herr und nur mehr mit Rock und Hemd an den Mast genagelt.

Mit einem heftigen Ruck machte ich mich frei und stieg dann von der Steuerbordseite auf das Deck hinunter. Um nichts in der Welt hätte ich mich auf die über dem Wasser hängenden Wanten gewagt, von denen Israel eben erst abgestürzt war.

Ich ging in die Kajüte und sah nach meiner Wunde. Sie schmerzte stark und blutete noch immer. Aber sie war weder tief noch gefährlich und hinderte mich auch nicht sehr, wenn ich den Arm bewegte. Da ich das Schiff jetzt gewissermaßen als mein Eigentum betrachtete, beschloss ich es von seinem letzten Passagier – dem toten O'Brien – zu befreien.

Er war beim Überholen des Schoners gegen die Schiffswand gefallen und lag dort wie eine schreckliche, große Puppe ohne jedes Leben. Meine tragischen Abenteuer hatten mich fast alle Scheu vor dem Tod verlieren lassen, ich hob den Piraten wie einen Mehlsack auf und warf ihn mit einem kräftigen Stoß über Bord.

Ich war jetzt allein auf dem Schiff. Die Sonne stand kurz vor dem Untergehen, die Riesenschatten der Pinien auf dem westlichen Ufer jagten über den Ankerplatz und zeichneten sich auf dem Deck ab. Der Abendwind hatte sich erhoben, im Takelwerk sang es leise und die Segel flatterten hin und her.

Das konnte für den Schoner gefährlich werden. Die Rahen hatte ich bald genug herumgeholt und auf Deck gebracht, das Großsegel aber stellte mir eine schwere Aufgabe. Die Großrahe hatte sich beim Schrägstellen des Schoners über das Schiff hinausgeschwungen und lag mit der Spitze und einem kleinen Teil des Segels unter Wasser. Zuerst wusste ich nicht, was ich tun sollte, dann holte ich mein Messer hervor und schnitt die Taue zum Aufziehen der Segel durch. Nun fiel auch die andere Seite herab und das große Segel schwamm breit auf dem Wasser. Das war alles, was ich tun konnte. Im Übrigen musste sich die *Hispaniola* auf ihr Glück verlassen wie ich mich auf das meine.

Der ganze Ankerplatz lag jetzt in tiefem Schatten und nur auf den Blumenmantel des Wracks fielen noch einige Sonnenstrahlen. Es begann kalt zu werden. Die Ebbe strömte dem Meer zu und nach und nach geriet der Schoner fast ganz aufs Trockene.

Ich kletterte nach vorn und blickte über den Schiffs-rand. Die Stelle schien mir seicht genug zu sein, ich ließ mich an dem abgeschnittenen Ankertau vorsichtig hinab und wagte mich hinunter. Das Wasser reichte mir kaum bis an die Hüften; der Sand war fest und ich watete in gehobener Stimmung an Land. Die trockengesetzte *Hispaniola* überließ ich mit ihrem auf der Oberfläche der Bai schwimmenden Großsegel getrost ihrem Schicksal. Die Sonne war im Untergehen und ein sanfter Abendwind bewegte die Wipfel der Bäume. Ich hatte wieder festen Boden unter den Füßen und brauchte nicht mit leeren Händen zu meinen Gefährten zurückzukehren. Da lag der Schoner, von den Meuterern gründlich gesäubert und bereit, unsere eigene Mannschaft an Bord zu nehmen und wieder in See zu stechen. Ich wollte nach dem Blockhaus zurück und mit meinen Erfolgen prahlen. Wahrscheinlich würde man mich wegen meiner Tollkühnheit schelten, aber die Wiedereroberung der *Hispaniola* war eine Ant-wort, die alle zum Schweigen bringen musste. Ich hoff-te, dass selbst Kapitän Smollett zugeben würde, ich hätte meine Zeit nützlich angewandt.

Mit diesen Gedanken trat ich in ausgezeichneter Laune den Rückweg nach dem Blockhaus an. Ich erinnerte mich daran, dass der östliche der Flüsse, die in Kapitän Kidds Ankerplatz mündeten, auf dem Hügel mit den beiden Za-cken entsprang. Ich wandte mich daher in jene Richtung, um den Fluss zu überqueren, solange er noch schmal war. Der Wald lag ziemlich offen vor mir; bald hatte ich die Ecke jenes Hügels erreicht und watete durch den Fluss.

Ich war jetzt dicht bei der Stelle, wo ich Ben Gunn begegnet war, und schlich vorsichtig und nach allen Seiten spähend weiter. Die Dämmerung war schon in die Nacht übergegangen, als ich in der Ferne, genau zwischen den beiden Bergspitzen, den unruhig zuckenden Schein eines Feuers gewahrte. Meiner Vermutung nach kochte dort Ben Gunn sein Abendbrot. Es wunderte mich, dass er seinen Aufenthaltsort so leichtsinnig verriet. Denn konnte dieser Schein, ebensogut wie ich ihn sah, nicht auch die Augen von John Silver auf sich lenken?

Es wurde rasch dunkler und die Orientierung fiel mir immer schwerer. Die Konturen des Doppelhügels hinter mir und des Spy-glass zu meiner Rechten verschwammen und lösten sich auf. Am Himmel standen nur wenige blasse Sterne. Ich stolperte ständig über niedriges Buschwerk oder fiel in tiefe Sandgruben. Der bleiche Schimmer des aufgehenden Mondes glänzte auf dem Gipfel des Spy-glass und seine silbrig glitzernde Scheibe erhob sich zwischen den Bäumen. Beim fahlen Schein seines Lichtes legte ich den Rest meines Weges schnell zurück. Bald ging ich, bald lief ich, von Sehnsucht nach dem Wiedersehen mit meinen Gefährten erfüllt. Als ich mich aber dem Blockhaus näherte, verlangsamte ich meine Schritte und schlich vorsichtig weiter. Von meinen eigenen Gefährten kläglich niedergeschossen zu werden, wäre ein armseliges Ende meiner Abenteuer gewesen.

Der Mond stieg höher und höher am Himmel und sein sanftes Licht fiel voll auf die freien Stellen des Waldes. Vor mir, zwischen den Bäumen, sah ich aber einen anderen roten Schein, der aufflackerte und wieder schwächer wurde – als sänke dort die Glut eines großen Feuers in sich zusammen. Sosehr ich mir auch den Kopf zerbrach, fand ich doch keine Erklärung für dieses rätselhafte Feuer. Ich kam endlich bis dicht an den Rand der Lichtung. Die westliche Seite war von Mondschein übergossen, das Blockhaus lag noch in tiefem Dunkel, das von langen Silberstreifen durchschnitten wurde. Auf der anderen Seite des Hauses war ein riesiges Feuer bis auf die Asche heruntergebrannt und strahlte noch einen gleichmäßigen roten Schein aus, der sonderbar gegen das zarte Silberlicht des Mondes abstach. Nichts rührte sich und ich vernahm kein Geräusch als das Flüstern des Windes.

Verwundert und auch ein wenig erschrocken hielt ich an. Es war nicht unsere Gewohnheit gewesen, so große Feuer anzufachen. Auf Befehl des Kapitäns waren wir mit dem Brennholz sparsam umgegangen und die Ahnung stieg in mir auf, dass sich während meiner Abwesenheit ein Unglück zugetragen haben musste.

Während ich immer im Schatten blieb, stahl ich mich um die Ostecke und kletterte dort, wo es am dunkelsten war, über die Palisaden.

Um doppelt sicher zu gehen, ließ ich mich auf Hände und Füße nieder und kroch geräuschlos auf das Haus zu. Als ich mich ihm näherte, fiel plötzlich eine schwere Last von meinem Herzen. Das Geräusch, das ich hörte, ist zwar sonst kein angenehmes und ich habe oft zu anderen Zeiten darüber geklagt. In jenem Augenblick aber klang es mir wie die schönste Musik, als ich meine Freunde laut und friedlich in ihrem Schlafe schnarchen hörte. Nie hat der nächtliche Ruf der Schiffswache »Alles in Ordnung« mich mehr beruhigt.

ROBERT L. STEVENSON

Freilich bestand kein Zweifel darüber, dass sie eine schlechte Wache hielten. Wären jetzt Silver und seine Burschen über sie hergefallen, hätte auch nicht einer von ihnen das Tageslicht erblickt. So etwas kann nur vorkommen, dachte ich bei mir, wenn der Kapitän verwundet ist. Wiederum machte ich mir bittere Vorwürfe, dass ich sie in der Gefahr verlassen hatte.

Ich war bis vor die Tür gelangt und hatte mich aufgerichtet. Drinnen war alles stockdunkel und ich konnte nicht die Hand vor den Augen erkennen. Neben dem gleichmäßigen Schnarchen der Schläfer vernahm ich aber gelegentlich noch ein leises Kratzen, das ich mir in keiner Weise erklären konnte.

Ich tastete mit beiden Händen vorsichtig um mich und schlich behutsam hinein. Leise wollte ich mich auf meinem alten Platz niederlegen (so dachte ich mit einem stillen Lächeln) und freute mich schon auf die Gesichter, die ich sehen würde, wenn sie mich am Morgen entdeckten.

Mein Fuß stieß gegen etwas Weiches – es war das Bein eines Schläfers, der sich umdrehte und stöhnte, dabei aber nicht aufwachte. Da plötzlich schrie eine kreischende Stimme in der Dunkelheit auf: »Goldene Escudos! Goldene Escudos! Goldene Escudos! Goldene Escudos! Goldene Escudos!«

Und so ging es ohne Unterbrechung wie das Klappern eines kleinen Mühlwerkes fort.

Silvers grüner Papagei, Kapitän Flint! Er war es also gewesen, den ich an einem Stück Rinde nagen gehört hatte. Er war es, der, ein besserer Wächter als alle anderen, meine Ankunft mit dem eintönigen Ruf verraten hatte.

Mir blieb keine Zeit, mich von meinem Schrecken zu erholen. Das durchdringende Schreien des Papageis weckte die Schläfer, sie sprangen auf und Silver rief mit einem kräftigen Fluch:

»Wer ist da?«

Ich versuchte zu flüchten, stieß dabei heftig gegen irgendjemanden, taumelte und lief geradewegs in zwei Arme hinein, die sich sofort um mich schlossen und mich festhielten.

»Hol eine Fackel, Dick!«, sagte Silver, als ich gefangen war. Einer der Männer verließ das Blockhaus und kehrte mit einem brennenden Holzscheit zurück.

FÜNFTES BUCH

KAPITÄN SILVER

28

BEIM ROTEN SCHEIN DER FACKEL sah ich meine schlimmsten Befürchtungen übertroffen. Die Piraten waren im Besitz des Hauses und der Vorräte; dort stand das Brandyfass, dort waren auch die Fässer mit dem Pökelfleisch und dem Schiffszwieback. Was mein Entsetzen aber zehnfach vermehrte, war der Umstand, dass ich nicht die geringste Spur von den Gefangenen sah. Ich konnte mir nur denken, dass die Seeräuber sie alle umgebracht hatten, und mein Herz zog sich krampfhaft zusammen, dass ich nicht da gewesen war, um mit ihnen zu sterben.

Es waren im Ganzen sechs Piraten, die anderen schienen nicht mehr am Leben zu sein. Fünf von ihnen standen mit verschlafenen Gesichtern um mich herum. Der sechste hatte sich nur auf seinen Ellbogen gestützt, er war totenblass und die blutgetränkte Binde um seinen Kopf verriet mir, dass er erst kürzlich verwundet worden war. Ich erinnerte mich des Mannes, der bei dem großen Angriff, von einer Kugel getroffen, nach dem Wald zurückgelaufen war, und zweifelte nicht, dass ich ihn vor mir erblickte.

Der Papagei saß mit gesträubtem Gefieder auf der

Schulter von Long John, der mir bleicher und finsterer als gewöhnlich vorkam. Er trug noch immer die feinen Tuchkleider, in denen er mit uns verhandelt hatte, doch war der Anzug mit Lehm beschmutzt und zerrissen.

»So«, sagte er, »da hat sich also Jim Hawkins zu uns verirrt. Das ist wirklich freundlich von dir!« Er setzte sich auf das Brandyfass und begann eine Pfeife zu stopfen.

»Gib mir doch das Licht für einen Augenblick, Dick«, sagte er und als er die Pfeife angezündet hatte, fuhr er fort: »Das genügt, mein Junge. Trag das Scheit zum Holzhaufen zurück! Im Übrigen, Gentlemen, legt euch nur wieder hin – ihr braucht nicht vor Hawkins zu stehen. Er entschuldigt euch schon, darauf könnt ihr euch verlassen. Und nun, Jim«, wandte er sich an mich, »bist du also hier bei uns und hast dem armen, alten John eine sehr angenehme Überraschung bereitet. Dass du ein gescheiter Junge bist, habe ich dir gleich angesehen, aber bei diesem Streich bleibt mir fast der Verstand stehen.« Ich gab auf diese Rede keine Antwort, wusste auch gar nicht, was ich sagen sollte. Sie hatten mich mit dem Rücken gegen die Wand gestellt, ich sah Silver gerade ins Gesicht, dem äußeren Schein nach, wie ich hoffte, recht mutig, im Grunde meines Herzens aber vollkommen verzweifelt.

Seelenruhig machte Silver einen oder zwei Züge aus seiner Pfeife und setzte dann seine Rede fort:

»Da du nun einmal hier bei uns bist, Jim«, sagte er, »will ich offen mit dir reden. Ich habe dich immer für einen tapferen Burschen gehalten und in dir mein eigenes Ebenbild aus der Zeit erblickt, als ich noch jung und hübsch war. Ich wollte, dass du dich uns anschließt. Du solltest deinen Anteil an der Beute haben und als Glücksritter sterben. Und nun, mein Junge, bleibt dir nichts anderes übrig. Käpt'n Smollett ist ein feiner Seemann, wie ich jeden Tag zugebe, er versteht aber keinen Spaß in puncto Manneszucht. Pflicht ist Pflicht, sagt er, und er hat auch recht. Nimm dich also vor dem Käpt'n in Acht. Selbst der Doktor will nichts mehr von dir wissen, ›der undankbare Bursche‹ waren seine eigenen Worte und die Moral von der Geschichte ist die: Du kannst zu deiner Gesellschaft nicht mehr zurückkehren, denn sie will dich nicht mehr haben. Du musst dich darum Käpt'n Silver anschließen, wenn du nicht für dich allein eine neue Gesellschaft gründen willst, in der du dich aber ziemlich einsam fühlen dürftest.«

Beinahe hätte ich vor Erleichterung laut aufgeatmet. Meine Freunde waren noch am Leben, und wenn ich es Silver auch zum Teil glaubte, dass sie über meine Flucht zornig waren, war ich eher froh als traurig über das, was ich hörte.

»Ich will kein Wort weiter darüber verlieren, dass du dich jetzt in unseren Händen befindest«, fuhr Silver fort, »obwohl wir dich jetzt haben und auch behalten, darauf kannst du dich verlassen. Ich bin immer für Verhandlungen gewesen und habe aus Drohungen nie Gutes kommen sehen. Wenn du willst, so schließe dich uns an, und wenn du nichts willst, Jim, so brauchst du es nur zu sagen. Und wenn ein sterblicher Seemann ehrlicher mit dir sprechen kann, dann soll mich der Teufel holen.«

»Ihr wollt also meine Antwort?«, fragte ich und meine Stimme zitterte doch verräterisch, sosehr ich mich auch zusammennahm. Dem spöttischen Ton seiner Worte merkte ich es sehr wohl an, dass er mir mit dem Tod drohte. Meine Wangen glühten und mein Herz krampfte sich zusammen.

»Junge«, sagte Silver, »es drängt dich keiner. Nimm dir ruhig Zeit zum Überlegen. Du weißt ja, Kumpel, wie gern wir dich in unserer Gesellschaft sehen.«

»Gut«, sagte ich und wurde kühner, »wenn ich wählen soll, habe ich doch ein Recht darauf, zu erfahren, wie die Sache steht, warum ihr hier seid und wo meine Freunde sind.«

»Wie die Sache steht?«, wiederholte einer der Meuterer mit ärgerlichem Knurren. »Wir wären froh, wenn uns einer das sagen könnte.«

»Halt gefälligst deinen Mund, wenn du nicht gefragt wirst«, herrschte Silver den Sprecher an. Dann ging er in heuchlerischem Ton auf meine Frage ein:

»Gestern Morgen, Mister Hawkins«, sagte er, »kam in aller Frühe Doktor Livesey mit einer weißen Fahne zu uns. ›Käpt'n Silver‹, fing er an, ›mit Euch ist es aus, das Schiff ist fort.‹ Es mag nun wohl sein, dass wir ein Glas getrunken und dazu ein Lied gesungen hatten, und ich stelle es nicht in Abrede. Keiner von uns hat aufgepasst. Wir blickten uns um, beim Teufel! – das alte Schiff war verschwunden. Nie hat ein Haufen Idioten verdutzter ausgesehen, darauf kannst du dich verlassen. Ich sage es dir, weil ich selbst am verdutztesten dreingeschaut habe.

›Habt Ihr Lust zu einem Tausch?‹, fragte mich der Doktor. Wir wurden einig und darum sind wir hier. Die Vorräte, der Brandy, das Blockhaus, das Brennholz, das du so vorsorglich für uns gehauen hast, gewissermaßen das ganze gesegnete Boot von der Mastspitze bis zum Kiel, alles gehört uns. Deine Freunde sind fortmarschiert, ich weiß nicht, wohin.«

Er zog wiederum an seiner Pfeife.

»Und damit du nicht etwa denkst«, fuhr er fort, »dass du auch in dem Vertrag eingeschlossen bist, will ich dir die letzten Worte unserer Unterredung sagen: ›Wie viel Mann stark geht ihr von hier fort?‹, fragte ich. ›Vier‹, antwortete er – ›vier und darunter ein Verwundeter. Wo der Junge steckt, weiß ich nicht, will es auch nicht wissen‹, sagte er, ›möge er zum Kuckuck gehen. Wir haben ihn satt.‹ Das waren seine Worte.«

»Ist das alles?«

»Es ist alles, was du hören sollst, mein Sohn«, versetzte Silver.

»Und ich soll jetzt meine Wahl treffen?«

»Und jetzt sollst du deine Wahl treffen, darauf kannst du dich verlassen«, sagte Silver.

»Gut«, antwortete ich, »ich bin kein solcher Narr, dass ich nicht wüsste, was ich von Euch zu erwarten habe. Wenn das Schlimme zum Schlimmsten kommt, ich mache mir wenig daraus. Ich habe viele sterben sehen, seitdem ich mit Euch zur See fuhr. Ein oder zwei Dinge will ich Euch aber sagen«, fuhr ich erregt fort, »und das Erste ist dies: Euer Spiel steht schlecht. Ihr habt Euer Schiff und fast die ganze Mannschaft verloren und den Schatz könnt ihr nicht finden. Und wollt Ihr wissen, wem Ihr das zu danken habt? – Mir! Ich war in jener Nacht, als das Land in Sicht kam, im Apfelfass und belauschte Euch, John, und Euch, Dick Johnson, und Hands, der jetzt auf dem Meeresboden liegt. Jedes eurer Worte erzählte ich noch in derselben Stunde weiter. Ich war es, der das Ankertau des Schoners durchschnitten hat, ich war es, der die Wächter an Bord tötete, und ich war es, der das Schiff dorthin brachte, wo es nicht einer von euch wiedersehen wird. Das Lachen ist auf meiner Seite. Ich habe von Anfang an alle eure Pläne durchkreuzt und ich fürchte mich vor euch nicht mehr als vor einer Fliege. Tötet mich, wenn ihr wollt, oder lasst mich am Leben. Eines aber will ich euch noch sagen und kein Wort mehr: Wenn ihr mich am Leben lasst, soll alles vergeben und vergessen sein, und wenn ihr euch wegen Seeraubs vor Gericht zu verantworten habt, will ich tun, was ich kann, um euch alle zu retten. An euch ist es zu wählen. Tötet mich und schadet euch dadurch selbst am meisten oder schont mich und erhaltet euch einen Zeugen, der euch vorm Galgen retten wird.«

Ganz außer Atem hielt ich an. Zu meiner Verwunderung rührte sich nicht einer von ihnen, sondern alle saßen stumm da und starrten mich an. Während sie noch schwiegen, fuhr ich fort:

»Und nun, Mr Silver, Ihr seid, glaube ich, der beste Mann hier; wenn es zum Schlimmsten kommen sollte, möchte ich Euch bitten, es dem Doktor zu erzählen, wie ich mich in mein Los geschickt habe.«

»Ich will dran denken«, sagte Silver in einem so sonderbaren Ton, dass ich nicht sagen konnte, ob er über meine Bitte lachte oder ob ihm mein Mut gefallen hatte.

»Ich weiß auch etwas von ihm«, rief der alte mahagonifarbene Seemann – Morgan war sein Name –, den ich in der Wirtschaft von Long John am Kai von Bristol ge-

ROBERT L. STEVENSON

troffen hatte, »er war es auch, der den Schwarzen Hund erkannte.«

»Ja und beim Donner!«, fügte der Schiffskoch hinzu, »er ist es, der Billy Bones die Karte abgenommen hat. Von Anfang bis zum Ende hat Jim Hawkins uns nur Unglück gebracht!«

»Dann nieder mit ihm!«, sagte Morgan mit einem Fluch. Er schwang sein Messer und sprang so behände auf wie ein zwanzigjähriger junger Mann.

»Zurück da!«, rief Silver. »Wer bist du, Tom Morgan? Denkst du vielleicht, dass du hier Kapitän bist? Da hast du dich, verdammt noch einmal, gründlich verrechnet. Tritt mir in den Weg und du wirst dorthin gehen, wohin dir manch guter Mann in den letzten dreißig Jahren vorangegangen ist – einige oben in die Rahe, einige über Bord und alle den Fischen zur Nahrung. Noch kein Mann hat mir ungehorsam in die Augen geblickt und sich nachher seines Lebens gefreut. Verlass dich darauf, Tom Morgan.«

Morgan zog sich zurück, aber ein heiseres Murmeln wurde unter den anderen laut.

»Tom hat recht«, sagte einer.

»Ich habe mich lang genug an der Nase herumführen lassen«, fügte ein Zweiter hinzu, »ich will gehängt sein, wenn ich Euch noch länger glaube, John Silver.«

»Will einer von euch Gentlemen sich mit mir anlegen?«, schrie Silver und beugte sich, die brennende Pfeife noch immer in seiner Hand, auf dem Fass weit vor. »Sagt, was ihr sagen wollt, ihr seid doch nicht etwa taub? Wen es danach gelüstet, der soll es bekommen. Glaubt ihr etwa, ich habe so viele Jahre gelebt, um mich von solchen Nullen, wie ihr es seid, verhöhnen zu lassen? Ihr wisst ja Bescheid, seid ihr doch alle Glücksritter. Gut, ich bin zum Kampf bereit. Wer Mut hat, nehme einen Säbel und ich will trotz meiner Krücke sein Blut sehen, ehe ich noch mit meiner Pfeife fertig bin.«

Nicht einer rührte sich, nicht einer antwortete, alle blieben still auf ihren Plätzen.

»Ja, das ist eure Art!«, fügte er hinzu und steckte die Pfeife wieder in den Mund. »Ihr seid wirklich eine nette Sorte, vielleicht versteht ihr aber König Georges Englisch. Ich bin hier Kapitän, weil ihr mich dazu gewählt habt. Ich bin hier Kapitän, weil ich der beste Mann von euch bin. Wollt ihr nicht fechten, wie es die Pflicht von Glücksrittern ist, dann, zum Teufel, sollt ihr gehorchen, darauf könnt ihr euch verlassen! Mir gefällt der Junge da, nie habe ich einen besseren Jungen als ihn gesehen. Er ist ein besserer Mann als ein paar von euch Ratten in diesem Hause hier. Und darum sage ich euch: Lasst mich den sehen, der Hand an ihn legen will – mehr sag ich nicht, aber merkt euch meine Worte.«

Ein langes Schweigen folgte. Mein Herz schlug wie ein Schmiedehammer, aber ein Hoffnungsstrahl stahl sich doch hinein. Silver lehnte mit gekreuzten Armen und mit der Pfeife im Mundwinkel so ruhig an der Wand, als wäre er eben in der Kirche gewesen. Sein Blick jedoch wanderte unruhig umher und wich nicht eine Sekunde von seinen aufsässigen Gefährten. Sie zogen sich nach und nach in die äußerste Ecke des Blockhauses zurück und ihr leises Flüstern tönte wie das Plätschern eines Baches in meinen Ohren. Einer nach dem andern schauten sie zu uns herüber, das rote Licht der Fackel huschte über ihre erregten Gesichter. Doch galten ihre Blicke nicht mir, sondern Silver, ihrem Kapitän.

»Ihr scheint euch ja viel zu sagen zu haben«, bemerkte Silver und spuckte weit in die Luft. »So macht es kurz und lasst's mich hören oder begebt euch wieder zur Ruhe.«

»Verzeihung, Sir«, antwortete einer der Männer, »Ihr springt zwar ziemlich frei mit unseren Regeln um, respektiert aber vielleicht noch einige davon. Diese Mannschaft hier ist unzufrieden, diese Mannschaft hier will sich nicht immer drohen lassen, diese Mannschaft hat ihre Rechte so gut wie andere Mannschaften – ich nehme mir die Freiheit, das zu sagen – und Eure eigenen Regeln geben uns das Recht, die Lage gemeinsam zu besprechen. Ich bitte, wenn ich Euch noch für einen Augenblick als Kapitän anerkenne, um Entschuldigung, Sir, verlange aber mein Recht und gehe zu einer Beratung nach draußen.«

Der hoch aufgeschossene, gelb aussehende, etwa fünfunddreißigjährige Mann von wenig vertrauenerweckendem Äußeren salutierte formvollendet, wandte sich der Tür zu und trat ins Freie. Die Übrigen folgten einer nach dem anderen seinem Beispiel, jeder salutierte im Vorübergehen und brachte eine Entschuldigung vor. »Die Regeln erlauben es«, sagte einer. »Matrosenart«, sagte Morgan. So marschierten sie mit dieser oder jener Bemerkung hinaus und ließen Silver und mich allein beim Schein der Fackel zurück.

Der Schiffskoch nahm die Pfeife aus dem Mund. »Pass jetzt auf, Jim Hawkins«, flüsterte er, »du bist nicht eine halbe Planke vom Tod entfernt. Sie stehen im Begriff, mich abzusetzen. Aber verlass dich drauf, ich halte durch dick und dünn zu dir. Eigentlich wollte ich nicht, aber als ich dich sprechen hörte, habe ich mich dazu entschlossen. Ich war wütend, glaub es mir, dass ich all das Gold verlieren und obendrein noch hängen sollte. Ich sah aber, dass du ein tüchtiger Junge bist, und sagte zu mir selbst: Du hältst zu Hawkins, John, und Hawkins hält zu dir. Du bist seine letzte Karte, wie er, beim Teufel, die deine ist, John! Rücken an Rücken, sage ich. Du rettest dir den Zeugen und er rettet dir den Hals!«

Langsam fing ich an zu begreifen.

»Ihr meint, dass alles verloren ist?«, fragte ich.

»Ja, das meine ich, verdammt noch mal!«, antwortete er. »Schiff verloren, Hals verloren – das ist die Folge davon. Sobald ich nach der Bai blickte und keinen Schoner mehr sah, Jim Hawkins – gab ich, so hartgesotten ich auch bin, das Spiel für verloren. Die Burschen da mit ihrer Beratung, sie sind weiter nichts als Narren und Feiglinge. Ich rette dich, wenn sie dir nach dem Leben trachten. Aber, Jim, eine Hand wäscht die andere – du rettest Long John vorm Galgen.« Ich war ganz verwirrt; mir erschien es hoffnungslos, was er – der alte Pirat und Rädelsführer bei dem ganzen Aufstand – von mir verlangte.

»Ich will tun, was ich kann«, versprach ich.

»Abgemacht!«, rief Long John. »Wenn du dein Wort hältst und für mich einstehst, wird es mir nicht schlecht gehen, beim Teufel!«

Er humpelte zur Fackel hin und zündete sich eine neue Pfeife an. »Verstehe mich wohl, Jim!«, sagte er, als er wieder zurückkehrte. »Ich habe einen guten Kopf auf meinen

Schultern und bin jetzt ganz auf der Seite des Squires. Ich weiß, dass du das Schiff irgendwo sicher untergebracht hast. Wie du es angestellt hast, weiß ich nicht, aber sicher ist es so. Vermutlich haben Hands und O'Brien falsches Spiel gespielt. Ich habe ihnen nie so recht getraut. Pass jetzt auf: Ich stelle keine Fragen, andere sollen's aber auch nicht. Ich weiß, wenn ein Spiel verloren ist, und sehe es einem Jungen an, wenn er zuverlässig ist. Jim, du bist noch so jung – was hätten wir beide zusammen nicht alles zustande bringen können.«

Er zapfte etwas Brandy aus dem Fass in eine Zinnkanne. »Willst du einmal kosten, Kamerad?«, fragte er. »Nicht? Dann will ich selbst einen Schluck trinken, Jim«, fuhr er fort. »Ich habe eine Stärkung nötig, denn es stehen uns schlimme Stunden bevor. Weißt du übrigens, Jim, weshalb der Doktor mir die Karte gegeben hat?« Ich muss wohl ein so überzeugend erstauntes Gesicht gemacht haben, dass er die Nutzlosigkeit weiterer Fragen einsah.

»Ja, er hat sie mir gegeben«, fuhr er fort, »und das hat auf jeden Fall etwas zu bedeuten, Jim – etwas Gutes oder etwas Böses.«

Und er nahm einen zweiten Schluck Brandy und schüttelte dabei den großen blonden Kopf wie ein Mann, der sich auf das Schlimmste gefasst macht.

29

Nachdem die Beratung der Meuterer einige Zeit gedauert hatte, kam einer von ihnen wieder ins Haus. Er salutierte so höflich wie vorher – was in meinen Augen einen stark ironischen Beigeschmack hatte – und bat um die Fackel. Silver erklärte kurz seine Zustimmung und der Emissär zog sich wieder zurück.

»Es ist ein Sturm im Anzug, Jim«, sagte Silver, der mittlerweile einen ganz freundlichen, zutraulichen Ton gegen mich angeschlagen hatte.

Ich trat vor die nächste Schießscharte und blickte hinaus. Die Reste des großen Feuers waren heruntergebrannt und verbreiteten nur noch trübes Licht. Die Verschwörer standen zwischen Blockhaus und Palisaden in einer Gruppe beisammen, einer hielt die Fackel, einer kniete gerade nieder und hatte die im Mond- und Fackelschein blitzende Klinge eines Messers in der Hand. Die übrigen beugten sich alle über ihn, als verfolgten sie gespannt sein Tun. Ich konnte nun sehen, dass der am Boden Kniende außer dem Messer noch ein Buch in seiner Hand hielt. Ich wunderte mich gerade, wie ein solcher Gegenstand sich in ihren Besitz verirrt haben mochte, als der Mann wieder aufstand und die ganze Gesellschaft sich dem Haus zu in Bewegung setzte.

»Sie kommen jetzt«, sagte ich und nahm meine frühere Stellung wieder ein, denn ich wollte nicht zeigen, dass ich sie belauscht hatte.

»Sie sollen nur kommen, Junge – sollen nur kommen«, sagte Silver munter. »Ich habe noch manchen Pfeil für sie in meinem Köcher.« Die Tur öffnete sich und die dicht aneinander gedrängten fünf Männer schoben einen aus ihrer Mitte vor. Er näherte sich langsam und zögernd und streckte seine geschlossene rechte Hand krampfhaft vor.

Das hätte unter anderen Umständen höchst komisch gewirkt.

»Nur näher, Junge!«, rief Silver. »Ich fresse dich schon nicht. Gib nur her, du Mistkerl. Ich kenne unsere Regeln und eine Abordnung ist mir heilig.«

So ermutigt trat der Pirat geschwind vor, drückte Silver etwas in die Hand und suchte mit noch größerer Geschwindigkeit wieder den Kreis seiner Gefährten auf.

Der Schiffskoch blickte das Stück Papier nur flüchtig an.

»Der schwarze Brief! Ich dacht es mir«, bemerkte er. »Wo habt ihr nur das Papier dazu hergenommen? Was? Seht einmal her, was ihr angerichtet habt! Ihr habt das Blatt ja aus der Bibel geschnitten! Welcher Narr beschädigt eine Bibel?«

»Da seht ihr's. Habe ich es nicht gleich gesagt? Es wird uns kein Glück bringen!«

»Ihr habt euch die Folgen selbst zuzuschreiben«, fuhr Silver fort. »Ihr werdet alle hängen. Welcher schwachköpfige Narr hat denn eine Bibel?«

»Dick gehört sie«, sagte einer.

»Dick also? Dann mag Dick nur gleich sein Gebet hersagen«, sagte Silver. »Mit Dicks Glück ist es aus.«

Jetzt mischte sich der lange Mann mit dem gelben Gesicht in das Gespräch.

»Genug von diesem Geschwätz, John Silver«, sagte er. »Die Mannschaft hat wie vorgeschrieben in voller Beratung den schwarzen Brief beschlossen. Dreh das Ding um, wie es deine Pflicht ist, und lies, was darauf geschrieben steht. Dann kannst du reden.«

»Danke, George«, erwiderte der Schiffskoch. »Du bist immer für das Praktische gewesen und weißt die Regeln auswendig, wie ich mit Vergnügen sehe. Was wollt ihr denn eigentlich von mir? ›Abgesetzt‹, darauf läuft es hinaus. Es ist recht säuberlich geschrieben, beinahe so sauber wie Druckschrift. Deine Handschrift, George, nicht wahr? Ja, ja, du wirst es noch zu etwas bringen und ich würde mich gar nicht wundern, wenn du nächstens noch Käpt'n werden solltest. Willst du mir nicht die Fackel herüberreichen? Die alte Pfeife will nicht mehr ziehen.«

»Schluss jetzt«, sagte George, »du wirst die Mannschaft hier nicht länger zum Narren halten, ein so komischer Kauz du auch bist. Mit deiner Herrschaft ist es aus, du kannst gleich vom Fass heruntersteigen und mit uns abstimmen.«

»Ich dachte, du hättest gesagt, du kennst die Regeln«, entgegnete Silver verächtlich. »Wenn nicht dir, sind sie doch mir bekannt; ich bleibe darum hier und bin noch immer euer Käpt'n, bis ihr eure Beschwerde vorgebracht und ihr meine Antwort darauf empfangen habt. Bis dahin ist der schwarze Brief nicht einen Pfennig wert. Das Weitere wird sich dann finden.«

»Oho«, versetzte George, »du meinst wohl, du hättest nichts zu befürchten? Wir sind aber alle einig. Erstens: Du hast in diesem ganzen Unternehmen nur Mist gebaut – es gehört schon einige Frechheit dazu, das in Abrede zu stellen. Zweitens: Du hast den Feind aus dieser Mausefalle hier einfach entwischen lassen. Warum wollten sie heraus? Ich weiß es nicht. Klar ist aber, dass ihnen viel daran gelegen war. Drittens: Du hast uns nicht erlaubt, sie

　　　　　　　　　ROBERT L. STEVENSON

unterwegs zu überfallen. Oh, wir durchschauen dich, John Silver, du willst ein falsches Spiel mit uns spielen! Und viertens: Dann ist noch der Junge da.«

»Ist das alles?«, fragte Silver ruhig.

»Genug und mehr als genug«, gab George zurück. »Wir werden wegen deiner Fehler alle hängen und in der Sonne trocknen müssen.«

»So passt einmal auf, ich will diese vier Punkte einen nach dem anderen beantworten. Ich habe mit dem Unternehmen Mist gebaut, sagt ihr? Nun, ihr alle wisst ja, was ich wollte. Wäre es nach meinem Willen gegangen, säße die ganze Mannschaft – und kein Einziger fehlte – heute Nacht an Bord der *Hispaniola*. Wir würden Plumpudding essen und der Schatz läge sicher im Schiffsraum, verdammt! Wer aber ist mir in den Weg getreten, wer hat mich, euren rechtmäßigen Kapitän, zu Handlungen wider meinen Willen gezwungen? Wer hat mir am Tag unserer Landung den schwarzen Brief zugestellt und diesen Tanz angefangen? Wer trägt die Schuld? Kein anderer als Anderson und Hands und du, George Merry! Du bist der Letzte von diesem verdammten Dreigespann, der noch unter uns ist, und du hast die Unverfrorenheit, aufzustehen und Käpt'n über mich werden zu wollen – du, der du uns alle ins Unglück gestürzt hast! Zum Teufel, das ist wohl das stärkste Stück, das du dir leistest.«

Silver hielt inne. Ich las in den Gesichtern Georges und seiner Kameraden, dass die Rede des Schiffskochs nicht ins Leere gegangen war. »Das wäre Punkt eins«, schrie der Angeklagte. Er wischte sich den Schweiß von der Stirn, denn er hatte so leidenschaftlich und laut gesprochen, dass die Wände des Hauses gedröhnt hatten. »Ich gebe euch mein Wort, dass ich es wirklich satt habe, zu euch zu reden. Ihr habt keinen Verstand und kein Gedächtnis und eure Mütter mögen es verantworten, die euch zur See gehen ließen. Seeleute und Glücksritter! Besser wäret ihr bei Zwirn und Nadel aufgehoben.«

»Weiter, John«, sagte Morgan, »was hast du auf die anderen Punkte zu antworten?«

»Pah, die anderen!«, versetzte Silver. »Die sind auch was Rechtes. Ihr sagt, dass unser Unternehmen verfahren sei. Ja, wenn ihr nur einsehen wolltet, wie unheilbar verfahren es ist! Wir sind dem Galgen so nahe, dass mir der Hals bei dem Gedanken wehtut. Ich sehe uns schon baumeln und die Geier um uns fliegen und die Seeleute, die mit der Flut herunterfahren, zeigen mit den Fingern auf uns. ›Wer ist das?‹, sagt einer. ›Ja, ist das nicht John Silver? Ich habe ihn gut gekannt‹, sagt ein anderer. Jawohl, es ist tatsächlich beinahe schon so weit. Dafür haben wir uns bei Hands, Anderson und den anderen von euch Narren zu bedanken. Und wollt ihr noch etwas über Nummer vier und den Jungen da hören? Ist der denn nicht eine Geisel? Werden wir uns einer Geisel berauben? Nein, das wollen wir lieber nicht tun. Er könnte leicht unsere letzte Hoffnung werden, was mich übrigens gar nicht wundern würde. Den Jungen umbringen? Nein, Kamerad, ich tue das nicht. Und Nummer drei? Ja, darüber lässt sich mancherlei sagen. Vielleicht findet ihr nichts dabei, dass ein wirklicher Doktor jeden Tag zu euch kommt und nach euch sieht – nach dir, Morgan, mit deinem angeschossenen Schädel, oder nach dir, George Merry, der du vor noch nicht sechs Stunden den Schüttelfrost hattest und so gelb wie eine Zitronenschale aussiehst? Und vielleicht wisst ihr auch nicht, dass ein Schwesterschiff hierher unterwegs ist? Das ist aber tatsächlich der Fall. Wie froh werdet ihr sein, wenn es da ist, dass ihr eine Geisel habt. Und was Nummer zwei betrifft, weshalb ich einen Vertrag schloss – ihr seid doch auf den Knien zu mir gekrochen und habt mich gebeten, auf den Vorschlag einzugehen! Ihr würdet verhungert sein, wenn ich es nicht getan hätte – das nur nebenbei! Seht einmal her – hier ist der Grund für alles.«

Und er warf ihnen ein Papier vor die Füße, das ich augenblicklich wiedererkannte – es war nichts anderes als die vergilbte Karte mit den drei roten Kreuzen, die ich in Öltuch eingenäht in der alten Kapitänskiste im »Admiral Benbow« gefunden hatte. Warum der Doktor sie ihm gegeben hatte, war mehr, als ich zu erraten vermochte. War aber mir das Erscheinen der Karte unbegreiflich, so wollten die am Leben gebliebenen Meuterer anfänglich gar nicht daran glauben. Sie sprangen danach wie die Katze nach einer Maus. Die Karte wanderte von Hand zu Hand, einer entriss sie dem andern. Nach all dem Fluchen und Schreien und kindischen Gelächter, womit sie ihre Untersuchung begleiteten, hätte man meinen sollen, dass sie das Geld nicht allein schon durch ihre Finger gleiten ließen, sondern außerdem auch schon sicher damit auf See wären.

»Ja«, sagte einer, »das ist ganz gewiss Flints Schrift, J. F. mit einem Kreuz und einem Schnörkel darunter, ich habe sie oft genug gesehen.«

»Alles schön und gut«, sagte George. »Wie bringen wir aber den Schatz weg, wenn wir kein Schiff haben?«

Da sprang Silver plötzlich auf und wandte sich, mit einer Hand gegen die Wand gestützt, dem Redner zu:

»Ich warne dich jetzt, George«, rief er. »Lass mich noch ein einziges unzufriedenes Wort von dir hören und ich fordere dich heraus, es mit mir auszufechten. Wie? Ja, wie soll ich das wissen? Ihr solltet mir das sagen – du und die Übrigen, die ihr mit eurem Dreinreden meinen Schoner verloren habt! Du kannst es aber nicht, denn du hast nicht so viel Verstand wie eine Mücke. Aber du sollst noch lernen, anständig mit mir zu sprechen, George Merry.«

»Das ist nicht mehr als billig«, sagte der alte Morgan.

»Das möchte ich meinen«, antwortete der Schiffskoch mit fester Stimme. »Ihr habt mir das Schiff verloren, ich habe den Schatz gefunden. Wer ist der bessere Mann? Und jetzt danke ich ab, verdammt noch mal! Wählt jetzt, wen ihr wollt, zu eurem Käpt'n, ich bin es nicht mehr.«

»Silver!«, riefen plötzlich alle. »Bratspieß bleibt unser Käpt'n, hurra für Bratspieß!«

»Aha«, rief der Koch, »»bläst der Wind jetzt aus der Richtung? George, mein Freund, ich fürchte, du wirst noch etwas warten müssen, ehe du Käpt'n wirst. Dein Glück ist, dass ich nicht rachsüchtig bin. Das bin ich nie gewesen. Und nun, Kameraden, was soll's mit diesem schwarzen Brief? Tut es euch leid, dass ihr ihn geschrieben habt, he? Dick hat sein Glück verwirkt und seine Bibel beschädigt. Das ist so ziemlich der einzige Schaden, der bei der Sache herausgekommen ist.«

»Aber ich darf die Bibel doch noch küssen?«, fragte Dick, dem es bei dem Fluch, den er auf sich geladen hatte, offenbar höchst unbehaglich zumute war.

ROBERT L. STEVENSON

»Eine Bibel, aus der ein Blatt herausgerissen ist?«, entgegnete Silver höhnisch. »Da kannst du ebenso gut gleich ein Märchenbuch küssen. Hier, Jim«, und er warf mir den Zettel zu, »für dich hat es Seltenheitswert.«

Es war ein rundes Stück Papier etwa von der Größe eines Silbertalers. Die eine Seite war weiß, es war das letzte Blatt gewesen, auf der anderen standen einige Verse aus der Offenbarung von Johannes – darunter auch dieser Vers, der mir merkwürdig zu meiner Lage zu passen schien: »Draußen aber sind Hunde und Mörder!« Die bedruckte Seite war mit Holzasche geschwärzt. Auf der anderen Seite fand ich nur das eine Wort »Abgesetzt«, ebenfalls mit Ruß hingekritzelt. Das Blatt liegt in diesem Augenblick neben mir auf dem Schreibtisch.

Damit war das Abenteuer dieser Nacht zu Ende.

Nachdem die Rumflasche noch einmal im Kreise herumgegangen war, legten wir uns alle zum Schlaf nieder. Silver nahm seine Rache an George Merry, indem er ihn als Wache aufstellte und mit dem Tod bedrohte, falls er sich als unzuverlässig erweisen sollte.

Es dauerte lange, bevor ich einschlief, und weiß der Himmel! – ich hatte genug Stoff zum Nachdenken: Hatte ich denn nicht am Nachmittag einen Mann in Notwehr erschossen und sah ich jetzt nicht Silver bei einem merkwürdigen Spiel, um sein elendes Leben zu retten; mit einer Hand hielt er die Meuterer im Zaum und mit der anderen griff er nach jedem möglichen und unmöglichen Mittel, um Frieden zu schließen. Er selbst schlief ruhig und schnarchte laut; so gottlos er auch war, empfand ich doch Mitleid mit ihm, wenn ich an die Gefahren dachte, die ihn umgaben, und an den schmachvollen Tod, der auf ihn wartete.

30

Ich wachte am nächsten Morgen auf, als eine klare, kräftige Stimme vom Rand des Waldes zu uns herüberrief:

»Blockhaus ahoi! Der Doktor ist da.«

Es war der Doktor. Obwohl ich mich freute, seine Stimme zu hören, so hatte meine Freude doch einen bitteren Beigeschmack. Ich erinnerte mich mit Scham an mein unbotmäßiges Benehmen und an meine heimliche Flucht. Nun scheute ich mich, ihm ins Gesicht zu blicken, und ich dachte daran, in welche Gefahren und in welche gefährliche Gesellschaft ich mich selbst durch meine Unbedachtheit gebracht hatte.

Der Doktor musste im Finstern aufgestanden sein, denn es dämmerte noch. Als ich an eine Schießscharte eilte und hinausblickte, sah ich ihn, wie früher einmal Silver, bis an die Knie im Nebel stehen.

»Seid Ihr schon da, Doktor? Einen schönen guten Morgen, Doktor!«, rief Silver, der über das ganze Gesicht strahlte. »Immer mit den Vögeln auf, es heißt ja auch: Morgenstund hat Gold im Mund. George, beeile dich und hilf Doktor Livesey über den Zaun. Es geht allen Ihren Patienten gut, sie sind munter und wohlauf.«

So plauderte er drauflos, während er auf der Kuppe des Hügels stand, die Krücke unter dem Arm und eine Hand an die Blockwand gestützt – in Stimme und Haltung ganz der alte John.

»Wir haben einen kleinen Fremdling hier – einen neuen Pensionär, der wohlbehalten und fröhlich die ganze Nacht neben John geschlafen hat.«

Doktor Livesey war jetzt über den Zaun gekommen und schon dicht bei Long John. Ich konnte die Erregung in seiner Stimme hören, als er fragte:

»Doch nicht Jim?«

»Wer denn sonst als mein lieber kleiner Freund Jim«, sagte Silver. Der Doktor blieb sprachlos stehen und es vergingen einige Sekunden, bevor er weiterzugehen vermochte.

»Nun, nun«, sagte er endlich, »zuerst die Pflicht und dann das Vergnügen, Silver. Schauen wir uns darum Ihre Patienten an.«

Er trat ins Blockhaus, nickte mir grimmig zu und nahm seine Arbeit unter den Kranken auf. Er schien sich in keiner Weise zu fürchten, obwohl er wusste, dass sein Leben unter diesen Verrätern auch nicht einen Augenblick sicher war. So unbekümmert unterhielt er sich mit seinen Patienten, als wäre er bei einem Krankenbesuch in einer ehrsamen Bürgerfamilie. Sein Auftreten übte einen günstigen Einfluss auf die Leute aus. Sie benahmen sich ihm gegenüber, als ob nichts vorgefallen wäre – als wäre er noch immer der Schiffsdoktor und sie noch immer treue Matrosen vor dem Mast.

»Es geht Euch ganz gut, mein Freund«, sagte er zu dem Burschen mit dem verbundenen Kopf, »und wenn je ein Mensch knapp mit dem Leben davongekommen ist, so seid Ihr es! Euer Schädel muss wirklich so hart wie Eisen sein. Und wie geht es Euch, George? Ihr habt eine reizende Farbe in Eurem Gesicht, als hättet Ihr Eure Leber von oben nach unten gekehrt. Habt Ihr Eure Medizin genommen? Hat er seine Medizin genommen, Leute?«

»Jawohl, Sir, er hat sie wirklich genommen«, erwiderte Morgan.

»Ich frage deswegen«, versetzte Doktor Livesey freundlich, »weil ich es für meine Ehrenpflicht halte, jetzt, da ich nun einmal der Rebellen- oder richtiger gesagt der Gefängnisdoktor bin, unserm König George, Gott segne ihn!, und dem Galgen auch nicht einen einzigen Mann vorzuenthalten.«

Die Spitzbuben blickten einander an, doch schluckten sie die bittere Pille ohne Widerrede hinunter.

»Dick fühlt sich nicht gut«, sagte einer.

»Auch Dick?«, erwiderte der Doktor. »Komm einmal hierher, Dick, und lass mich deine Zunge sehen. Aha – es sollte mich gar nicht wundern, wenn du mit deiner Zunge die Franzosen in Angst und Schrecken versetzen würdest. Du hast auch das Fieber.«

»Kein Wunder«, sagte Morgan, »das kommt davon, wenn man Bibeln zerreißt.«

»Das kommt davon«, gab der Doktor zurück, »dass ihr alle unverbesserliche Esel seid und nicht Verstand genug besitzt, um gesunde Luft von Gift und trockenes Land von einem abscheulichen, fauligen Sumpf zu unterscheiden. Ich halte es für höchstwahrscheinlich – obwohl es nur meine Meinung ist –, dass ihr alle noch eine böse Zeit durchmachen müsst, bevor die Malaria aus euren Glie-

ROBERT L. STEVENSON

dern verschwindet. In einem Sumpf wolltet ihr kampieren? Silver, ich wundere mich über Euch. Ihr seid lang nicht so dumm wie viele andere. Aber Ihr scheint mir auch nicht die leiseste Ahnung von den ersten Erfordernissen der Gesundheitspflege zu haben. Für heute wäre ich fertig«, fügte er hinzu, nachdem er ihnen ihre Medizin gegeben und jeder sie mit wirklich lächerlicher Demut eingenommen hatte, eher wie Waisenhausschüler als wie blutbefleckte Meuterer und Piraten. »Und nun möchte ich, bitte, einmal mit dem Jungen da reden.« Und er wandte den Kopf lässig in meine Richtung.

George Merry, der unter allerlei Grimassen eine bitter schmeckende Medizin hinuntergeschluckt hatte, fuhr bei dem ersten Wort des Doktors jählings auf und schrie »Nein« und fluchte laut.

Silver schlug mit der offenen Hand auf das Fass. »Ruhe!«, brüllte er und blickte wie ein Löwe um sich. »Doktor«, fuhr er dann mit seiner gewöhnlichen Stimme wieder fort, »dass ich diese Bitte von Euch hören würde, habe ich mir schon gedacht. Ich weiß, wie gut Ihr den Jungen leiden könnt. In aller Bescheidenheit danken wir Euch für Eure Güte, wir verlassen uns ganz auf Euch und schlucken Eure Medizin hinunter, als ob es Grog wäre. Und ich denke, dass ich einen Ausweg gefunden habe, der allen passen wird. Hawkins, wollt Ihr mir als junger Kavalier – denn Ihr seid ein Kavalier, wenn auch von bescheidener Herkunft – Euer Ehrenwort geben, uns nicht durchzubrennen?«

Ich gab ihm freiwillig das verlangte Versprechen.

»Dann, Doktor«, sagte Silver, »bleibt draußen vor dem

Zaun stehen und der Junge soll von der Innenseite mit Euch reden. Guten Tag, Sir, und unsere schönsten Empfehlungen an den Squire und Käpt'n Smollett.«

Sobald der Doktor das Haus verlassen hatte, brach die angestaute Wut los, die Silvers drohende Blicke bisher unterdrückt hatten. Silver wurde geradeheraus beschuldigt, ein falsches Spiel zu spielen und einen Sonderfrieden für sich herausschlagen zu wollen und die Interessen seiner Mitschuldigen und Opfer zu verraten – ein Vorwurf, der den Nagel auf den Kopf traf. Sein Doppelspiel schien mir in diesem Falle so offen auf der Hand zu liegen, dass ich mir nicht vorstellen konnte, wie er sie diesmal beschwichtigen würde. Er war den Piraten aber weit überlegen. Sein Sieg in der letzten Nacht hatte ihm wieder außerordentlichen Einfluss über sie verschafft. Er nannte sie Toren und Narren, sagte, meine Unterredung mit dem Doktor sei notwendig, und zeigte ihnen die Karte aufs Neue und fragte, ob sie den Vertrag mit der anderen Partei leichtsinnig gerade an jenem Tag brechen wollten, an dem sie den ersehnten Schatz endlich finden würden.

»Nein, zum Teufel!«, rief er, »wir dürfen den Vertrag erst brechen, wenn der günstige Zeitpunkt dazu gekommen ist! Bis dahin aber werde ich alles für den Doktor tun, was in meiner Macht steht, und wenn ich ihm die Stiefel mit Brandy einreiben müsste.«

Dann befahl er ihnen das Feuer anzuzünden, legte eine Hand auf meine Schulter und schritt mit mir aus dem Haus hinaus. Durch seinen Redefluss hatte er die Piraten zwar zum Schweigen gebracht, sie aber keineswegs überzeugt.

ROBERT L. STEVENSON

»Langsam, Junge, langsam«, flüsterte er, »wir haben sie im nächsten Augenblick auf dem Hals, wenn wir uns zu sehr beeilen.«

Wir gingen also sehr bedächtig durch den Sand bis zu der Stelle, wo der Doktor wartete, und als wir in Hörweite waren, blieb Silver stehen.

»Ihr werdet mir doch diesen Dienst nicht vergessen, Doktor?«, sagte er. »Der Junge wird Euch erzählen, wie ich ihm sein Leben rettete und deswegen abgesetzt wurde. Wenn ein Mann so nahe dem Wind steuert wie ich und gewissermaßen mit dem letzten Atemzug im Leib um den Hals würfelt, würdet Ihr vielleicht doch ein gutes Wort für ihn einlegen, nicht wahr? Bedenkt, dass nicht allein mein Leben, sondern auch das des Jungen jetzt auf dem Spiel steht. Um der Barmherzigkeit willen, sprecht freundlich zu mir und gebt mir etwas Hoffnung für die Zukunft.«

Silver war jetzt, da er seinen Freunden und dem Blockhaus den Rücken zuwandte, wie verwandelt. Seine Wangen schienen eingesunken, seine Stimme zitterte und nie hatte er es so aufrichtig gemeint.

»Was, John, Ihr fürchtet Euch doch nicht?«, fragte Doktor Livesey. »Doktor, ich bin kein Feigling, nicht so viel davon!«, und er schnippte mit den Fingern. »Wenn ich's wäre, würde ich es nicht sagen. Ich gebe jedoch offen und ehrlich zu, dass ich bei dem Gedanken an den Galgen zittere. Ihr seid ein guter Mann, nie habe ich einen bessern gesehen! Und Ihr werdet das Gute, das ich getan habe, nicht vergessen. Ich trete nun zurück und lasse Euch mit Jim allein. Und Ihr werdet Euch auch das zu meinen

Gunsten gut merken, denn es ist nicht wenig, was ich für Euch tue!«

Mit diesen Worten trat er zurück, bis er uns nicht mehr hören konnte. Er setzte sich auf einen Baumstumpf und fing an vor sich hin zu pfeifen. Ab und zu schaute er sich um, bald nach mir und dem Doktor und bald nach seinen störrischen Gefährten, die geschäftig zwischen dem Haus und dem inzwischen wieder angezündeten Feuer hin und her liefen und Brot und Pökelfleisch zum Frühstück herbeitrugen.

»Also hier muss ich dich treffen, Jim«, sagte der Doktor traurig. »Was man sät, muss man ernten, mein Junge. Weiß der Himmel, ich bringe es nicht über mich, dich zu tadeln. Das eine aber will ich dir sagen, magst du es nun auffassen, wie du willst: Solange Kapitän Smollett gesund war, hast du es nicht gewagt, uns zu verlassen. Dass du es getan hast, als er krank war und es nicht verhindern konnte, das war bei Gott eine Feigheit, ich kann es nicht anders nennen.« Ich muss gestehen, dass ich zu weinen begann.

»Doktor«, schluchzte ich, »das braucht Ihr mir nicht erst zu sagen. Ich habe mir selbst schon die bittersten Vorwürfe gemacht. Mein Leben ist auf alle Fälle verwirkt und ich würde schon jetzt tot sein, wenn Silver nicht für mich eingetreten wäre. Ich kann sterben, Doktor, glaubt es mir, und ich verdiene vielleicht auch den Tod, ich fürchte mich aber vor der Folter.«

»Jim«, unterbrach mich der Doktor und seine Stimme klang verändert. »Jim, ich kann das nicht mit anhören. Spring über den Zaun und flieh mit mir.«

»Doktor«, sagte ich, »ich habe mein Wort gegeben.«

»Ich weiß, ich weiß«, rief er aus. »Es ist zwar schlimm, aber wir müssen uns darüber hinwegsetzen. Ich will die ganze Verantwortung, Schimpf und Schande auf meine Schultern nehmen, mein Junge, aber ich kann dich nicht hier lassen. Geschwind! Ein verwegener Sprung, du bist draußen und wir rennen davon wie ein Paar Antilopen.«

»Nein«, erwiderte ich, »Ihr wisst wohl, dass Ihr es selbst nicht tun würdet, weder Ihr noch der Squire noch der Kapitän. Grund genug für mich, es auch nicht zu tun. Silver vertraut mir. Ich gab ihm mein Wort und gehe daher wieder zurück. Sie haben mich aber nicht zu Ende reden lassen, Doktor. Wenn sie mich foltern, das wollte ich sagen, so wäre es möglich, dass ich mich mit einem oder zwei Worten verrate, sodass sie dann das Schiff finden. Denn ich habe uns den Schoner gerettet – halb durch Glück und halb durch Waghalsigkeit – und er liegt jetzt heil und trocken im Nordhafen auf dem Strand.«

»Das Schiff«, rief der Doktor aus.

In aller Eile erzählte ich ihm meine Abenteuer und er hörte mir schweigend zu.

»Darin liegt die Hand der Vorsehung«, bemerkte er, als ich geendet hatte. »Bei jedem Schritt bist du es, der uns das Leben rettet, und du glaubst, wir würden zugeben, dass du das deine verlierst? Das wäre nur ein schwacher Lohn, mein Junge. Du hast die Verschwörung entdeckt, du hat Ben Gunn gefunden – die beste Tat, die du je vollbracht hast! Und da wir gerade von Ben Gunn sprechen, so fällt mir etwas ein. Silver!« rief er, »Silver! – Ich gebe Euch einen guten Rat«, fuhr er fort, als der Koch wieder in unsere Nähe kam. »Beeilt Euch nicht zu sehr wegen des Schatzes.«

»Wie meint Ihr das, Sir?«, fragte Silver. »Ihr wisst, dass ich mein Leben und das dieses Jungen nur retten kann, wenn ich den Schatz finde.«

»Wenn sich die Sache so verhält«, erwiderte der Doktor, »will ich noch einen Schritt weitergehen: Macht Euch auf Sturm gefasst, wenn Ihr den Schatz findet.«

»Doktor«, sagte Silver, »das nenne ich mit Ihrer Erlaubnis entweder zu viel oder zu wenig gesagt. Ich weiß nicht, was Sie vorhaben, weshalb Sie das Blockhaus verließen und weshalb Sie mir die Karte gaben. Dennoch führte ich Ihre Befehle mit geschlossenen Augen und ohne ein tröstliches Wort von Ihnen aus. Was aber zu viel ist, ist zu viel. Sagen Sie mir endlich, offen und ehrlich, was Sie vorhaben, sonst gebe ich das Steuer aus meinen Händen fort.«

»Nein«, antwortete der Doktor nachdenklich, »ich habe kein Recht, Euch mehr zu sagen. Es ist nicht mein Geheimnis. Wäre es das, Silver, so gebe ich Euch mein Wort, dass ich es Euch anvertrauen würde. Ich will aber so weit gehen, wie ich darf, und noch einen Schritt darüber hinaus, wenn mir der Kapitän deswegen auch die Perücke tüchtig zerzausen wird. Und zuerst, Silver, sage ich Euch jetzt, dass Ihr die Hoffnung nicht aufgeben sollt. Wenn wir beide lebendig aus dieser Wolfsfalle herauskommen, will ich mein Bestes tun, um Euch zu retten und nur vor dem Meineid haltmachen.«

Silvers Gesicht strahlte. »Sie können mir keinen besseren Trost gewähren«, rief er aus, »und wenn Sie meine Mutter wären.«

»Das war also mein erstes Zugeständnis«, fügte der Doktor hinzu. »Jetzt noch einen Rat! Behaltet den Jungen immer dicht bei Euch und ruft laut, wenn Ihr Hilfe braucht. Ich gehe jetzt fort, um sie für Euch zu suchen, und Ihr werdet bald sehen, dass ich weder zu viel noch zu wenig gesagt habe. Leb wohl, Jim!«

Doktor Livesey reichte mir die Hand, schüttelte sie durch den Zaun hindurch, nickte Silver zu und ging mit schnellen Schritten dem Wald zu.

31

»Jim«, sagte Silver, als wir allein waren, »wenn ich dein Leben gerettet habe, so hast du mir das meine gerettet. Ich werde dir das nicht vergessen. Ich habe gesehen, wie der Doktor dir zugeredet hat, mit ihm zu fliehen, und habe ebenso deutlich bemerkt, als ob ich's gehört hätte, wie du Nein sagtest. Das gereicht dir zur Ehre, Jim. Das ist der erste Hoffnungsschimmer, seit alles misslungen ist. Und nun, Jim, müssen wir die Jagd nach dem Schatz antreten, und zwar, was mir gar nicht gefällt, mit versiegelter Order. Wir müssen darum, du sowohl wie ich, zusammenhalten. Rücken an Rücken wollen wir unsern Hals noch retten, dem Schicksal und dem Unglück zum Trotz.« In diesem Augenblick rief uns einer der Männer am Feuer zu, das Frühstück sei fertig. Bald saßen wir gemeinsam im Sand und aßen Zwieback und gebratenes Pökelfleisch. Die Piraten hatten ein Feuer angezündet, groß genug, um einen Ochsen darauf zu braten. Es strahlte eine solche Hitze aus, dass man sich ihm nur von der Windseite und selbst da nicht ohne Vorsicht nähern konnte. Sie gingen mit ihren Lebensmitteln ebenso verschwenderisch wie mit dem Brennholz um und hatten etwa dreimal so viel gekocht, wie wir essen konnten. Den Rest warf einer von ihnen mit lautem Lachen ins Feuer, das bei dieser ungewöhnlichen Nahrung aufloderte und laut prasselte. Nie in meinem Leben habe ich Menschen so ohne alle Sorge um die Zukunft gesehen. »Von der Hand in den Mund« ist das einzige Wort, das ihr Treiben schildern kann. Sie waren wohl zu einem kühnen Handstreich zu verwenden, doch diese Verschwendung der wichtigen Lebensmittel und ihr nachlässiger Postendienst sagte mir, dass sie niemals einem länger andauernden Widerstand gewachsen waren.

Silver, der mit Kapitän Flint auf der Schulter sein Mahl verzehrte, äußerte nicht ein Wort des Tadels über ihre Tollhäuslerwirtschaft. Das überraschte mich umso mehr, als er mir noch nie so verschlagen wie gerade bei dieser Gelegenheit erschienen war.

»Ja, Kumpels«, sagte er, »euer Glück ist es, dass ihr Bratspieß, der mit seinem Kopf für euch denkt, habt. Habe ich nicht, was ich haben wollte? Sie besitzen zwar das Schiff und ich weiß nicht, wo sie es versteckt haben; wenn aber erst der Schatz unser ist, werden wir es schon finden. Und dann, Genossen, haben wir die Oberhand, da wir die Boote besitzen.«

So redete er beständig weiter, während er mit vollem Mund kaute, und stellte damit ihre – und wie ich stark vermute, gleichzeitig auch seine – Hoffnung und Zuversicht wieder her.

»Unsere Geisel«, fuhr er fort, »der Junge, der hat das letzte Mal mit seinen lieben Freunden gesprochen. Wir nehmen ihn auf unserer Jagd nach dem Schatz mit uns und wollen ihn für den Fall, dass uns ein Unglück widerfährt, wie unseren Augapfel hüten. Sobald wir aber Schiff und Schatz haben und wieder ein lustiges Glücksritterleben führen können, wollen wir Jim Hawkins schon auf unsere Seite bringen und ihm obendrein für all seine Freundlichkeit noch einen Anteil geben.«

Es wunderte mich nicht, dass die Leute jetzt so guter Laune waren. Ich selbst fühlte mich schrecklich niedergeschlagen. Sollte der von ihm entworfene Plan sich als durchführbar erweisen, würde Silver, schon jetzt ein zweifacher Verräter, nicht einen Augenblick zögern. Er stand mit einem Fuß in jedem Lager. Zweifellos zog er Reichtum und Freiheit im Verein mit den Piraten der Aussicht vor, die ihm auf unserer Seite winkte, wo er im günstigsten Fall froh sein musste, dem Tod am Galgen zu entkommen.

Und selbst wenn er dem Doktor die Treue halten musste, welche Gefahren standen uns trotzdem noch bevor? Was sollte werden, wenn die Piraten ihren Argwohn bestätigt fanden und wir – er ein Krüppel und ich ein Junge – gegen fünf kräftige und verzweifelte Seeräuber um unser Leben zu kämpfen hatten.

Zu all meiner Furcht kam noch das Geheimnis, das über dem Verhalten meiner Freunde hing. Warum hatten sie das Blockhaus verlassen und auf die Karte verzichtet? Noch unerklärlicher aber erschien mir die letzte Warnung, die der Doktor Silver gegeben hatte. »Macht Euch auf Sturm gefasst, wenn Ihr den Schatz findet.« Man kann sich daher denken, wie wenig mir mein Frühstück schmeckte und wie schwer mein Herz war, als ich den Piraten auf der Jagd nach dem Schatz folgte.

Wir müssen ein sonderbarer Anblick gewesen sein, als wir aufbrachen, alle in schäbiger Seemannskleidung und alle, ich allein ausgenommen, bis an die Zähne bewaffnet. Silver trug zwei Gewehre, eines vorn, das andere auf dem Rücken, an der Seite einen großen Säbel und in jeder Tasche seines langschößigen Rockes eine Pistole. Um sein Aussehen vollends absonderlich zu machen, saß ihm der Papagei auf der Schulter und schwatzte allerlei krauses Zeug zusammen. Ich hatte einen Strick um den Leib gebunden und folgte gehorsam dem Schiffskoch, der das lose Ende bald in seiner freien Hand, bald zwischen seinen kräftigen Zähnen hielt. Obwohl mir gar nicht heiter zumute war, kam ich mir wie ein Tanzbär vor, der an der Leine geführt wird.

Von den anderen Männern trugen einige Hacken und Schaufeln – denn das waren die wichtigsten Gegenstände gewesen, die sie zuerst von der *Hispaniola* an Land gebracht hatten –, andere wieder Fleisch, Brot und Brandy für das Mittagessen. Die Vorräte stammten aus unserem Lager und ich sah, dass Silver in der vergangenen Nacht die Wahrheit gesprochen hatte. Hätte er nicht den Vertrag mit dem Doktor abgeschlossen, so hätten er und die Meuterer ohne den Schoner sich von klarem Wasser und etwaiger Jagdbeute ernähren müssen. Wasser wäre aber wenig nach ihrem Geschmack gewesen und meist sind Seeleute auch keine guten Schützen. Außerdem hatten sie wahrscheinlich auch nicht daran gedacht, sich genügend mit Pulver und Blei zu versehen, da sie schon bei den Lebensmitteln so nachlässig gewesen waren.

So ausgerüstet brachen wir alle auf – selbst der Mann mit dem angeschossenen Schädel, für den es sicher besser gewesen wäre, im Schatten zu bleiben. Wir trabten, einer hinter dem anderen, zu der Bucht, wo die beiden Beiboote lagen. Selbst diese trugen Spuren des betrunkenen Tobens der Piraten, die Ruderbänke waren beschädigt und das Innere nie gereinigt oder trockengeschöpft worden. Der Sicherheit wegen wollten die Meuterer keines der Boote zurücklassen. Nachdem sich unsere Schar in zwei Abteilungen von gleicher Stärke geteilt hatte, schifften wir uns in der Bucht ein.

Während des Ruderns gab die Karte Anlass zu hitzigem Wortwechsel. Das rote Kreuz war natürlich viel zu groß, um als genauer Wegweiser zu dienen, und die handschriftlichen Zusätze auf der Rückseite ließen der Fantasie ziemlich weiten Spielraum. Sie lauteten, wie sich der Leser vielleicht erinnern wird:

»Hoher Baum, Schulter des Spy-glass. Richtung ein Strich N zu NNO Skeleton Island OSO zu O.

Zehn Fuß. «

Ein hoher Baum war also das wichtigste Kennzeichen. Nun wurde gerade vor uns der Ankerplatz durch ein sechzig bis neunzig Meter hohes Plateau abgeschlossen, das im Norden an die sanft abfallende südliche Schulter des Spy-glass grenzte und gegen Süden wiederum in die rauen Klippen auslief, die zum Mizzen-mast-Hill gehörten.

Der Gipfel des Plateaus war dicht mit Nadelbäumen verschiedener Höhe bewachsen. Hier und da ragten Stämme einer anderen Art an die zwölf bis fünfzehn Meter über ihre Nachbarn hinaus. Welcher davon der »hohe Baum« war, den Kapitän Flint gemeint hatte, ließ sich nur an Ort und Stelle mithilfe eines Kompasses bestimmen. Obwohl die Sache so stand, suchte sich doch ein jeder der Schatzsucher seinen Baum aus, der ihm am besten gefiel. Long John aber zuckte nur die Achseln und ersuchte sie, mit ihrer Ansicht zu warten, bis sie an Land sein würden.

Auf Silvers Anweisung ruderten wir ganz gemächlich, um unsere Kräfte nicht vor der Zeit zu verausgaben. Nach einer ziemlich langen Fahrt landeten wir an der Mündung des zweiten Flusses, der auf dem bewaldeten Rücken des Spy-glass entspringt. Wir hielten uns nach links und begannen den Aufstieg auf das Plateau.

Anfangs kamen wir auf dem schweren, morastigen Boden mit seiner üppigen Sumpfvegetation nur sehr mühsam vorwärts. Nach und nach wurde der Weg jedoch steiniger und steiler, der Wald veränderte seinen Charakter und nahm ein offeneres, freundlicheres Aussehen an. Es war in der Tat einer der angenehmsten Teile der Insel, in dem wir uns jetzt befanden. Stark duftender Ginster und blühende Sträucher waren an die Stelle des Grases getreten. Dickicht von grünen Muskatnussbäumen wechselte mit den roten Stämmen breitschattiger Pinien ab und vermischte ihren würzigen Duft mit dem Wohlgeruch der anderen Gewächse. Die Luft war frisch und anregend und in der Gluthitze des Tages eine Wohltat für uns.

Unter lautem Geschrei verteilte sich die Schar fächerförmig über das Gelände. Ein gutes Stück hinter den Übrigen folgten Silver, der sich keuchend auf dem unsicheren Boden abmühte, und ich, noch immer durch mein Tau gefesselt. Von Zeit zu Zeit musste ich ihn sogar stützen, er hätte sonst den Halt verloren und wäre hilflos den Hügel hinuntergekullert.

Wir hatten auf diese Weise etwa eine halbe Meile zurückgelegt und näherten uns dem Gipfel des Plateaus, als der Mann, der am weitesten vorne war, links von uns einen lauten Schreckensschrei ausstieß. Er hörte nicht auf zu schreien und die anderen eilten zu ihm. »Er kann doch nicht den Schatz gefunden haben«, sagte der alte Morgan und lief, von rechts kommend, an uns vorbei, »denn der liegt ganz sicher oben auf dem Gipfel.«

Er hatte etwas ganz anderes gefunden, wie wir entdeckten, als wir uns der Stelle näherten. Am Fuß einer ziemlich großen Pinie, von grünem Schlinggewächs umwuchert, lag ein menschliches Skelett auf dem Boden, nur noch mit ein paar Fetzen bekleidet. Ich glaube, in diesem Augenblick lief jedem von uns der kalte Schauer über den Rücken.

»Es war ein Seemann«, sagte George Merry, der, kühner als die Übrigen, die Kleidungsfetzen untersucht hatte. »Wenigstens ist dies hier gutes Seemannstuch.«

»Es wird schon stimmen«, sagte Silver. »Hast du vielleicht gedacht, einen Bischof hier zu finden? Sagt mir aber doch, nach welcher Richtung seine Knochen zeigen, sie liegen nicht natürlich.«

Und tatsächlich, bei näherem Hinsehen war es unmöglich, dass sich das Gerippe in seiner natürlichen Lage befand. Von einer kleinen Zerstörung abgesehen (die vielleicht das Werk der Vögel war, die an dem Leichnam herumgehackt hatten), lag der Mann kerzengerade da, seine Füße deuteten nach der einen und seine über dem Kopf gefalteten Hände nach der entgegengesetzten Richtung.

»Mein alter Schädel denkt sich«, bemerkte Silver, »das hier ist der Kompass und die Spitze zeigt auf das Skeleton Island. Prüft das doch einmal nach.«

Dies geschah. Der Körper deutete genau auf das Skeleton Island und der Kompass zeigte OSO zu O.

»Ich dachte es mir gleich!«, rief der Koch aus. »Der Tote soll ein Wegweiser sein. Jetzt können wir getrost den Weg zum Polarstern und den schönen Goldstücken einschlagen. Aber, zum Teufel! Wenn es mich nicht bei dem Gedanken an den alten Flint kalt überläuft! Das ist ohne Zweifel einer von seinen praktischen Scherzen! Ganz allein gegen sechs, so tötete er sie, Mann für Mann, holte diesen hierher und legte ihn nach dem Kompass nieder – es schüttelt mich! Der da hat lange Beine und das Haar ist blond gewesen. Ja, das muss Allardyce sein. Erinnerst du dich noch an Allardyce, Tom Morgan?«

»Wohl, wohl«, versetzte Morgan, »ich denke noch oft an ihn, er war mir Geld schuldig und nahm mein Messer mit an Land.«

»Da wir von Messern reden«, sagte ein anderer, »warum liegt seines nicht hier? Flint war nicht der Mann, der einem Seemann die Taschen ausleerte, und die Vögel hätten es doch auch nicht angerührt, sollte ich meinen.«

»Verdammt! Du hast recht!«, rief Silver aus.

»Nichts ist da«, sagte Merry und suchte noch immer zwischen den Knochen herum. »Weder eine Kupfermünze noch eine Tabaksdose! Das geht nicht mit rechten Dingen zu.«

»Verflucht, so ist es«, pflichtete Silver bei, »nicht natürlich und auch nicht anständig. Es würde aber ein heißer Platz für uns sein, Kameraden, wenn Flint noch lebte. Sechs Mann waren sie und sechs Mann sind wir stark und nichts als Knochen sind von ihnen übrig geblieben.«

»Ich habe ihn mit diesen meinen eigenen Augen tot gesehen«, sagte Morgan. »Billy führte mich zu ihm. Dort lag er mit Pennystücken auf den Augen.«

»Sicher ist er tot und in die Grube gefahren«, sagte der Bursche mit dem verbundenen Kopf. »Wenn je aber Geister umgehen, müsste es Flints Geist sein. Flint ist einen bösen Tod gestorben!«

»Ja, das ist er«, bemerkte ein anderer. »Einmal raste er, dann wieder brüllte er nach Rum und dann sang er. ›Fünfzehn Mann‹ war sein einziges Lied, Kumpels! Ich gestehe euch die Wahrheit, ich habe es seither nie mehr so recht leiden mögen. Es war ein heißer Tag, das Fenster stand offen und ich hörte das alte Lied deutlich und klar und dabei kämpfte er schon mit dem Tode.«

»Schluss jetzt!«, sagte Silver. »Er ist tot und geht nicht um, zumindest am hellen Tage nicht, darauf könnt ihr euch verlassen. Vorwärts, wir holen uns die Dublonen!«

Wir brachen auf. Aber obwohl die Sonne oben am Himmel glühte und es mitten am Tag war, trennten sich die Piraten nicht mehr und liefen nicht mehr einzeln lärmend durch den Wald, sondern blieben dicht beisammen und sprachen nur noch mit gedämpfter Stimme. Die Angst vor dem toten Piraten hatte ihre Lebensgeister gelähmt.

32

Als wir die Kuppe erreicht hatten, ließ sich die Schar zu einer kurzen Rast nieder.

Das Plateau fiel nach Westen zu etwas ab und von unserem Rastplatz aus bot sich nach allen Seiten hin ein weiter Ausblick. Über den Baumwipfeln vor uns lag das von der Brandung umspülte Cape of the Woods; drehten wir uns um, so sahen wir auf den Ankerplatz und das Skeleton Island hinab und weit über die Landzunge und das östliche Flachland hinweg auf die offene See. Über uns erhob sich das Spy-glass, das mit Pinien bewachsen war und dessen Hang jäh abfiel. Kein Laut war zu hören außer der fernen Brandung und dem Summen unzähliger Insekten im Gebüsch. Auf dem Meer nicht ein Schiff, nicht ein einziges Segel. Die Großartigkeit der Aussicht erhöhte noch das Gefühl der Einsamkeit.

Nachdem Silver sich gesetzt hatte, nahm er mehrere Peilungen mit dem Kompass vor.

»Ungefähr in gerader Linie vom Skeleton Island«, sagte er, »gibt es drei hohe Bäume! Die Schulter des Spy-glass ist meiner Ansicht nach jener niedrige Punkt dort. Ein Kind kann jetzt den Schatz finden. Fast hätte ich Lust, vorher noch zu essen.«

»Mir ist nicht ganz geheuer zumute«, knurrte Morgan. »Der Gedanke an Flint lässt mir keine Ruhe.«

»Ja, mein Sohn, danke deinem Schöpfer, dass er tot ist«, sagte Silver. »Er war ein hässlicher Teufel«, rief ein dritter Pirat schaudernd aus, »und ganz blau im Gesicht!«

»Das kam vom vielen Rumtrinken«, fügte Merry hinzu.

»Blau! Und wie blau er war! Das ist das richtige Wort für ihn.«

Seit sie das Skelett gefunden hatten und auf solche Gedanken gekommen waren, hatten sie immer leiser und leiser gesprochen. Jetzt flüsterten sie beinahe nur noch und der Klang ihrer Stimmen störte kaum die Stille des Waldes. Da, ganz plötzlich kam aus den Bäumen vor uns eine dünne, hohe, zitternde Stimme, die das alte, wohl bekannte Lied sang:

»Fünfzehn Mann auf des toten Manns Kiste
Jo-ho-ho und ein Fass voll Rum!«

Nie habe ich Menschen tödlicher erschrecken sehen wie die Seeräuber in diesem Augenblick. Ihre Gesichter wurden bleich. Einige sprangen auf, die anderen klammerten sich aneinander und Morgan wälzte sich auf dem Boden. Alle zitterten sie gehörig vor Angst.

»Es ist Flint, beim –!«, rief Merry aus.

Das Lied hörte so plötzlich auf, wie es angefangen hatte. Als das Lied wie von fernher durch die klare, sonnige Luft und das Grün der Bäume zu uns drang, hatte es mir fast fröhlich und unbeschwert geklungen und die Wirkung auf meine Gefährten war daher umso merkwürdiger.

»Vorwärts, marsch«, befahl Silver, der sich mühsam mit aschfarbenen Lippen zum Sprechen zwang, »das darf nicht sein. Es ist ein toller Anfang und ich kenne die Stimme nicht. Aber verlasst euch darauf, es ist jemand, der uns zum Narren halten will, jemand aus Fleisch und Blut, so gut wie ihr und ich.«

Beim Sprechen war sein Mut zurückgekehrt. Das Gesicht zeigte wieder die gewöhnliche Farbe. Auch die anderen kamen wieder zu sich, als die Stimme sich von Neuem hören ließ. Diesmal ertönte sie wie ein schwacher ferner Ruf, dessen Echo die Schluchten des Spy-glass noch schwächer zurückwarfen.

»Darby M'Graw«, wehklagte es – denn das ist das Wort, das den Klang am besten beschreibt –, »Darby M'Graw!«, jammerte es wieder und wieder, um dann etwas anzuschwellen und mit einem Fluch, den ich fortlasse, zu kreischen: »Bring den Rum nach hinten, Darby!« Die Meuterer blieben wie festgewurzelt stehen. Die Augen traten ihnen fast aus den Höhlen. Lange noch, nachdem die Stimme verhallt war, starrten sie einander schweigend und entsetzt an.

»Es ist Flint und kein anderer, jetzt steht es fest!«, keuchte einer. »Fliehen wir!«

»Das waren seine letzten Worte«, stöhnte Morgan, »seine letzten Worte, die er an Bord gesprochen hat.«

Dick hatte seine Bibel hervorgeholt und betete laut. Er war ein braver Junge gewesen, ehe er zur See gegangen und in schlechte Gesellschaft geraten war.

Silver war noch nicht besiegt. Ich hörte, wie ihm die Zähne im Munde klapperten, aber er ergab sich nicht.

»Keiner hat auf dieser Insel je etwas von Darby gehört«, murmelte er, »keiner außer uns.«

ROBERT L. STEVENSON

Mit sichtlich großer Anstrengung riss er sich zusammen. »Kameraden«, rief er, »ich bin hier, um das Gold zu holen. Davon will ich mich weder von Mensch noch Teufel abhalten lassen. Ich habe mich vor Flint nicht gefürchtet, als er noch lebte, ich fürchte ihn auch jetzt nicht, wo er tot ist. Siebenhunderttausend Pfund liegen weniger als eine Viertelmeile von hier. Wann hätte je ein Glücksritter um eines betrunkenen, alten, blaunasigen und obendrein noch toten Seemannes willen so vielen Talern den Rücken gekehrt?«

Aber kein Zeichen eines wieder erwachenden Mutes war bei seinen Gefährten zu entdecken. Eher schienen sie vor seinen respektlosen Worten noch mehr entsetzt zu sein.

»Hüte dich, John!«, sagte Merry, »fordere nicht ein Gespenst heraus.«

Die Übrigen waren vor Schreck überhaupt ganz stumm geworden. Hätten sie den Mut gehabt, sie wären nach allen Richtungen davongelaufen. Aber die Furcht hielt sie zusammen. Sie scharten sich um John, als könnte sie sein Mut beschützen. Er hingegen hatte seine Schwäche ziemlich niedergekämpft.

»Ein Gespenst? Vielleicht«, sagte er. »Eins ist mir aber dabei nicht ganz klar. Ich habe ein Echo gehört. So wenig aber je ein Mensch einen Geist mit einem Schatten gesehen hat, so wenig hat er je von einem Geist mit einem Echo gehört. So etwas gibt es gar nicht.«

Dieses Argument kam mir herzlich schwach vor. Es lässt sich aber nie vorhersagen, was die Stimmung abergläubischer Menschen zu beeinflussen vermag. Zu meiner großen Verwunderung zeigte sich Merry für diese Beweisführung sehr empfänglich.

»Da hast du wieder recht, John«, sagte er, »du trägst zweifellos einen klugen Kopf auf deinen Schultern. Nur vorwärts, Genossen! Die Mannschaft befindet sich, wie ich glaube, auf einer falschen Spur, und wenn ich darüber nachdenke, so gebe ich zu, dass die Stimme zwar ähnlich wie die Flints klang, mich dabei aber doch an einen anderen erinnerte. Es war eher die Stimme –«

»Es war Ben Gunns Stimme, beim Teufel!«, brüllte Silver.

»Sie war es wirklich«, rief Morgan und sprang in die Höhe.

»Das macht aber doch keinen so großen Unterschied?«, meinte Dick. »Ben Gunn ist ebenso wenig leiblich hier wie Flint.«

Die älteren Matrosen nahmen seine Bemerkung mit Hohn auf.

»Zum Kuckuck mit Ben Gunn«, rief Merry. »Ob tot oder lebendig, ihn fürchtet niemand.«

Es war erstaunlich, wie schnell ihre Stimmung jetzt umschlug und wie die natürliche Farbe in ihre Gesichter zurückkehrte. Bald schwatzten sie wieder miteinander. Es dauerte nicht lange und sie nahmen ihre Werkzeuge über die Schultern und marschierten vorwärts. An ihrer Spitze ging Merry mit Silvers Kompass in der Hand, um die Richtung nach dem Skeleton Island zu halten. Er hatte die Wahrheit gesprochen: Ob tot oder lebendig, Ben Gunn flößte keinem Einzigen von ihnen Schrecken ein.

Dick allein hielt seine Bibel in der Hand und warf

ängstliche Blicke um sich. Dieses Beispiel fand aber bei den anderen Piraten keinen Anklang und Silver verspottete ihn offen.

»Ich sagte es dir ja«, wandte er sich an ihn, »du hast deine Bibel verdorben. Welchen Wert, meinst du, wird ein Gespenst darauf legen, wenn man nicht mehr auf sie schwören kann? Nicht so viel!« Und er schnippte mit den Fingern.

Dick ließ sich aber nicht beruhigen. Mir wurde bald klar, dass der junge Bursche krank war; Hitze, Erschöpfung und der plötzliche Schrecken beschleunigten offenbar das Eintreten des Fiebers, wie es Doktor Livesey vorhergesagt hatte.

Hier oben auf der Höhe kamen wir gut vorwärts. Unser Weg führte uns bergab, da das Plateau, wie ich schon sagte, nach Westen abfiel. Die Pinien, große und kleine, standen hier weit auseinander. Zwischen den Muskatnussbäumen glühten breite Lichtungen in der brütenden Sonne. Wir durchquerten die Insel ziemlich weit gegen Norden und näherten uns der Schulter des Spy-glass. Immer weiter wurde der Ausblick über jene westliche Bucht, wo ich einst in dem leichten Boot Wind und Wellen zitternd zum Spielball gedient hatte. Wir langten bei dem ersten der hohen Bäume an. Es war aber nicht der richtige, wie uns der Kompass zeigte. So ging es uns auch mit dem zweiten. Der dritte ragte aus niedrigem Gesträuch wohl dreißig Meter hoch in die Luft. Es war ein wahrer Baumriese mit einem roten Stamm vom Umfang einer Hütte und in seinem Schatten hätte eine ganze Kompanie ihre Übungen abhalten können. Er musste sowohl von

Osten wie von Westen weithin zu sehen sein. Ich wunderte mich, dass er nicht als ein Schifffahrtszeichen auf der Karte verzeichnet stand.

Aber nicht die Größe des Baumes, nur die Kenntnis des Umstandes, dass siebenhunderttausend Pfund in Gold unter seinem kühlen Schatten vergraben lagen, machte Eindruck auf meine Begleiter. Der Gedanke an das Geld verscheuchte alle Angst, die sie vorher empfunden hatten. Ihre Augen glühten, ihr Schritt wurde schneller und leichter, ihre ganze Seele lechzte nach dem Schatz und nach jenem Leben voll Ausschweifungen und Vergnügen, das sich ihnen eröffnete.

Silver humpelte schimpfend mit seiner Krücke hinten nach. Er fluchte wie toll, wenn sich die Fliegen auf sein erhitztes, in Schweiß gebadetes Gesicht setzten. Dann riss er wütend an dem Strick, der mich an ihn fesselte. Ab und zu drehte er sich um und warf mir einen Blick zu, der nichts Gutes verkündete. Er gab sich keine Mühe, seine Gedanken zu verbergen, und ich konnte sie deutlich von seinem Gesicht ablesen. Dem Gold so nahe hatte er alles vergessen, sein Versprechen und die Warnung des Doktors. Er hoffte den Schatz zu heben, die *Hispaniola* zu entdecken und unter dem Schutz der Nacht an Bord zu gehen, jeden ehrlichen Mann auf der Insel zu erschlagen und wieder wegzusegeln, wie er zuerst beabsichtigt hatte, mit Reichtümern und Verbrechen schwer beladen.

Von diesen Befürchtungen erfüllt vermochte ich kaum mit den Schatzjägern Schritt zu halten. Ab und zu stolperte ich, dann riss Silver unbarmherzig an dem Strick und warf mir mörderische Blicke zu. Dick, der zurückge-

ROBERT L. STEVENSON

blieben war und die Nachhut bildete, stammelte in seiner Fieberhitze Gebete und Flüche vor sich hin. Auch dies trug zu meiner Verzweiflung bei und zu all dem verfolgte mich der Gedanke an die Tragödie, die sich einst auf diesem Plateau abgespielt hatte, als jener gottlose Pirat mit dem blauen Gesicht dort mit eigener Hand seine sechs Mitschuldigen erschlug. Der jetzt so friedlich daliegende Hain musste damals von dem Geschrei der Verdammten widergehallt haben und es schien mir fast, als hörte ich es noch immer.

Wir standen jetzt am Rande des Dickichts.

»Hurra, Freunde, alle miteinander!«, jauchzte Merry und die Männer an der Spitze fingen an zu laufen.

Sie waren noch keine zehn Schritte vorwärts gekommen, als wir sie plötzlich halten sahen. Ein leiser Schrei entrang sich ihnen. Silver verdoppelte seine Eile und stampfte mit seiner Krücke wie ein Besessener. Dann standen auch wir bei den Übrigen.

Vor uns klaffte eine große Grube, die offenbar schon vor langer Zeit gegraben worden war, da die Seitenwände eingestürzt waren und Gras den Boden bedeckte. In dieser Grube lagen der Griff einer zerbrochenen Hacke und die Bretter verschiedener Kisten bunt durcheinander. Auf einem dieser Bretter las ich den mit einem heißen Eisen eingebrannten Namen *Walross* – den Namen von Kapitän Flints Schiff.

Es gab keinen Zweifel mehr. Das Versteck war vor uns gefunden und geplündert worden und die siebenhunderttausend Pfund waren verschwunden.

33

Die Enttäuschung war unvorstellbar. Jeder der sechs Männer stand da wie vom Schlag getroffen. Silver fand jedoch seine Geistesgegenwart augenblicklich wieder und änderte seinen Feldzugsplan, ehe die anderen auch nur ihre Sprache wiedergefunden hatten.

»Jim«, flüsterte er, »nimm das und mache dich auf einen Sturm gefasst.« Und er reichte mir eine doppelläufige Pistole.

Gleichzeitig begann er sich nach Norden zu bewegen. Nach wenigen Schritten lag die Grube zwischen uns und den anderen Männern. Dann blickte er mich an und winkte mir zu, als ob er sagen wollte: »Wir stecken in einer netten Patsche!«, womit er übrigens nicht unrecht hatte. Sein Wesen war jetzt wieder überaus freundlich. Über seine Falschheit entrüstet konnte ich mich nicht enthalten ihm zuzuflüstern: »So habt Ihr Eure Partei also schon wieder gewechselt?«

Es blieb ihm keine Zeit zur Antwort. Fluchend und schreiend sprangen die Piraten einer nach dem andern in die Grube, warfen die Bretter auf die Seite und wühlten die Erde mit ihren Fingern auf. Morgan fand ein Goldstück. Er hielt es unter Verwünschungen in die Höhe. Es war ein Zweiguineenstück und wanderte etwa eine Viertelminute lang von einer Hand in die andere.

»Zwei Guineen!«, brüllte Merry und warf das Goldstück Silver ins Gesicht. »Da hast du deine siebenhunderttausend Pfund! Du bist der Mann, der sich auf seinen Vorteil versteht, nicht wahr? Du bist der Mann, der noch nie eine Sache verfahren hat, stelzfüßiger Halunke du!«

»Nur munter fortgegraben, Jungen«, sagte Silver mit kaltblütiger Unverschämtheit, »es sollte mich gar nicht wundern, wenn ihr noch etwas Katzengold finden würdet.«

»Katzengold!«, wiederholte Merry kreischend vor Zorn. »Genossen, habt ihr das gehört? Ich sage euch, dass es der Mann die ganze Zeit hindurch gewusst hat. Schaut ihm ins Gesicht, dort steht's geschrieben.«

»Ah, Merry«, bemerkte Silver, »meldest du dich schon wieder für den Kapitänsposten? Du bist ein umsichtiger Junge, das muss ich loben.«

Diesmal hielt jeder zu Merry. Sie kletterten aus der Grube heraus und warfen uns wütende Blicke zu. Zum Glück für uns stiegen sie auf der entgegengesetzten Seite aus der Grube heraus.

Da standen wir, zwei auf der einen, fünf auf der anderen Seite der Grube. Keiner war so verwegen, dass er den ersten Streich führen wollte. Silver rührte sich nicht von der Stelle. Auf seine Krücke gelehnt beobachtete er seine Gegner scharf und schien so kaltblütig wie nur je zuvor. Er war ein tapferer Mann, das war nicht zu leugnen.

Schließlich fiel es Merry ein, der allgemeinen Stimmung durch eine kleine Rede nachzuhelfen.

»Kameraden«, sagte er, »nur zwei stehen uns gegenüber. Der eine ist der alte Krüppel, der uns hierher brachte und die Schuld an unserem ganzen Unglück trägt, der andere jener Junge, dem das Herz herauszureißen ich mir vorgenommen habe. Nun, Kameraden –«

Er hob seinen Arm und seine Stimme, offenbar in der Absicht, die anderen zum Angriff zu führen. Aber in diesem Augenblick blitzten aus dem Dickicht drei Musketenschüsse auf. Merry stürzte kopfüber in die Grube. Der Mann mit dem verbundenen Kopf drehte sich wie ein Kreisel um sich selbst und fiel dann der Länge nach auf den Boden, wo er tot liegen blieb. Die anderen drei machten kehrt und liefen davon.

Bevor ich noch denken konnte, hatte auch Long John beide Läufe seiner Pistole auf den im Todeskampf liegenden Merry abgefeuert. Als der Sterbende die Augen noch einmal zu ihm aufschlug, rief er ihm zu: »George, mein Junge, ich glaube, ich habe mit dir abgerechnet.«

Die rauchenden Musketen in der Hand kamen der Doktor, Gray und Ben Gunn aus dem Gehölz auf uns zu.

»Vorwärts!«, rief der Doktor, »schnell, Jungen! Wir müssen ihnen den Weg zu den Booten abschneiden.«

Und nun ging die Hetzjagd los.

Ich muss sagen, Silver tat sein Bestes, um Schritt mit uns zu halten. Wie er mit seiner Krücke sprang, bis ihm die Muskeln seiner Brust zu platzen drohten, war ein Stück Arbeit, das ein Sterblicher ihm so leicht nicht nachmachen wird. Trotzdem war er etwa dreißig Schritt hinter uns zurückgeblieben und dem Erstickungstod nahe, als wir den Gipfel des Abhanges erreichten.

»Doktor«, rief er, »schaut dorthin! Ihr braucht Euch nicht mehr so zu beeilen.«

Er hatte recht, wir konnten uns Zeit lassen. Von der ziemlich offen daliegenden Stelle des Plateaus aus konnten wir die drei am Leben Gebliebenen noch immer in

ROBERT L. STEVENSON

Richtung Mizzen-mast-Hill laufen sehen. Wir waren bereits zwischen ihnen und den Booten und warfen uns ins Gras, um Atem zu schöpfen. Long John trocknete sein Gesicht ab und humpelte langsam herbei.

»Schönsten Dank, Doktor«, sagte er. »Ihr kamt gerade im richtigen Augenblick, um mir und Hawkins das Leben zu retten. Du bist es also wirklich, Ben Gunn!«, fügte er hinzu. »Ein feiner Vogel bist du, das muss ich sagen.«

»Ja – ich – bin Ben Gunn«, antwortete der Ausgesetzte und wand sich in seiner Verlegenheit wie ein Aal. »Und«, fügte er nach einer langen Pause hinzu, »wie geht's, Mr Silver? Scheinbar recht gut.«

»Ben, Ben«, murmelte Silver, »wer hätte gedacht, dass du uns so etwas antun würdest!«

Der Doktor sandte Gray zurück, um eine der Schaufeln zu holen, die von den Meuterern auf der Flucht fortgeworfen worden waren. Während wir gemächlich den Hügel zu den Booten hinabschritten, erzählte er uns in wenigen Worten, was sich zugetragen hatte. Die Erzählung rief bei Silver das regste Interesse hervor und ihr Held war der halb unzurechnungsfähige Ben Gunn.

Ben Gunn hatte auf seinen langen einsamen Inselwanderungen das Skelett gefunden. Er war es gewesen, der es ausgeplündert hatte, er hatte den Schatz gefunden und ihn ausgegraben (es war der Stiel seiner Spitzhacke, der zerbrochen in der Grube liegen geblieben war). Ben Gunn war es gewesen, der auf vielen mühseligen Märschen den Schatz vom Fuß der hohen Pinie bis in eine Felsenhöhle im Nordosten der Insel getragen hatte. Dort ruhte das Geld bereits zwei Monate vor Ankunft der *Hispaniola*.

Als der Doktor dem Ausgesetzten am Nachmittag des Angriffes das Geheimnis entlockt hatte und den Ankerplatz am nächsten Morgen verlassen gesehen hatte, war er zu Silver gegangen. Er hatte ihm die jetzt völlig wertlose Karte und die Lebensmittel gegeben, da Ben Gunns Höhle reichlich mit eingesalzenem Ziegenfleisch versorgt war. Er hatte ihm alles und jedes gegeben, nur um von dem Blockhaus zu den Hügeln zu entkommen, wo sie, gegen die Malaria geschützt, ihr Geld bewachen konnten.

»Deinetwegen, Jim«, sagte er, »blutete mir das Herz. Aber ich musste mein Bestes für die tun, die ihre Pflicht erfüllt hatten, und dass du dich nicht unter ihnen befandest, wessen Schuld war es?«

Am Morgen aber, als er mich im Blockhaus sah und ihm bewusst wurde, dass ich in der Hand der Piraten wäre, wenn sie die schreckliche Enttäuschung erleben würden, die er ihnen bereitet hatte, war er den ganzen Weg bis zu der Höhle gelaufen, hatte den Squire bei dem Kapitän als Wächter zurückgelassen. Mit Gray und Ben Gunn war er quer über die Insel geeilt, um in der Nähe der Pinie auf uns zu warten. Bald sah er jedoch, dass wir einen starken Vorsprung hatten. Deshalb sandte er den schnellfüßigen Ben Gunn voraus, um die Meuterer aufzuhalten, und Ben Gunn war es eingefallen, sich den Aberglauben seiner früheren Schiffskameraden zunutze zu machen; er führte seinen Plan mit solchem Geschick aus, dass Gray und der Doktor sich vor der Ankunft der Schatzjäger in den Hinterhalt legen konnten.

»Ein Glück für mich«, sagte Silver, »dass ich Jim Hawkins an meiner Seite hatte. Ihr hättet, glaube ich, den alten John in Stücke schlagen lassen und Euch nicht einmal dabei gerührt, Doktor.«

»Stimmt auffallend«, bestätigte Doktor Livesey freundlich.

Mittlerweile waren wir bei den Beibooten angekommen. Der Doktor zerstörte das eine mit seiner Spitzhacke, dann kletterten wir alle in das andere und ruderten dem Nordhafen zu.

Es waren acht oder neun Meilen bis dorthin. Obwohl er fast tot vor Müdigkeit war, musste Silver wie die Übrigen zu einem Ruder greifen und bald glitten wir rasch über die glatte See dahin. In kurzer Zeit waren wir aus der Meerenge heraus und steuerten um die Südostecke der Insel, um die wir erst vor vier Tagen die *Hispaniola* hereingeschleppt hatten.

Als wir an dem Hügel mit den beiden Spitzen vorüberfuhren, konnten wir die dunkle Öffnung von Ben Gunns Höhle und daneben eine Gestalt erkennen, die sich auf eine Muskete stützte. Es war der Squire. Wir schwenkten unsere Taschentücher und riefen ihm ein dreimaliges Hurra zu, in das Silver ebenso laut wie wir anderen einstimmte.

Noch drei Meilen weiter und wir sahen innerhalb der Mündung des Nordufers die *Hispaniola*, die von selbst flott geworden war. Die letzte Flut hatte sie in die Höhe gehoben. Wir würden sie überhaupt nicht oder nur als hilfloses Wrack wiedergefunden haben, wenn es einen so starken Wind oder eine so starke Strömung wie an dem südlichen Ankerplatz gegeben hätte. Abgesehen vom Verlust des Großsegels war der Schaden auf dem Schiff nur unbedeutend. Mit vereinten Kräften ließen wir einen

Reserveanker in das hier anderthalb Faden tiefe Wasser hinab und ruderten dann nach der Ben Gunns Schatzhöhle zunächst gelegenen Rum Cove. Von dort sandten wir Gray allein zur *Hispaniola* zurück, um die Nacht als Wächter auf dem Schoner zu verbringen.

Ein sanft ansteigender Weg führte von der Bucht bis zu der Höhle. Vor dem Eingang trat uns der Squire entgegen. Zu mir war er freundlich und liebenswürdig und sagte nichts von meiner Flucht, weder ein Wort des Lobes noch des Tadels. Bei Silvers höflichem Gruß stieg ihm eine heftige Röte ins Gesicht.

»John Silver«, sagte er, »Ihr seid ein Schurke und Betrüger – ein ganz unglaublicher Halunke. Man hat mich ersucht, Euch nicht gerichtlich zu verfolgen. Nun gut, ich will es nicht tun. Die toten Männer hängen aber an Eurem Hals wie Mühlsteine.«

»Schönsten Dank, Sir!«, erwiderte Long John und salutierte höflich. »Wagt es, mir zu danken!«, rief der Squire. »Ich mache mich einer groben Vernachlässigung meiner Pflicht schuldig. Fort, aus meinen Augen!«

Dann gingen wir in die Höhle. Sie war geräumig und luftig, besaß eine klare Quelle und einen von Farnen umrahmten Teich voll klaren Wassers. Der Boden bestand aus Sand. Vor einem großen Feuer lag Kapitän Smollett. In einer fernen, nur schwach vom Feuerschein überflackerten Ecke sah ich große Haufen von Münzen und übereinander aufgeschichteten Goldstangen. Das also war Flints Schatz, den zu suchen wir aus so weiter Ferne gekommen waren und der bereits siebzehn Matrosen der *Hispaniola* das Leben gekostet hatte. Wie viele Menschenleben es aber gekostet haben mag, ehe er zusammengescharrt worden war, wie viel Blut und Kummer, wie viele gute Schiffe, die jetzt auf dem Meeresboden lagen, wie viele tapfere Männer, die mit verbundenen Augen über die Planke schreiten mussten, wie viele Kanonenschüsse, wie viel Schande, Lug und Trug und Grausamkeit, vermag wohl kein Sterblicher zu sagen. Und dennoch gab es noch drei Männer auf der Insel – Silver, den alten Morgan und Ben Gunn –, die alle an diesen Verbrechen teilgenommen und alle auf ihren Anteil an dem Schatz gehofft hatten.

»Komm herein, Jim«, sagte der Kapitän, »du bist in deiner Art ein guter Junge, Jim, ich glaube aber nicht, dass wir beide zusammen noch einmal zur See fahren werden. Du hast zu viel Glück im Leben. Seid Ihr das, John Silver? Was führt Euch hierher, Mann?«

»Melde mich gehorsamst wieder zur Stelle und zur Pflicht zurück, Sir«, entgegnete Silver.

»Ah!«, brummte der Kapitän und das war alles, was er sagte. Welch herrliche Mahlzeit hatte ich an jenem Abend, da alle meine Freunde um mich herumsaßen! Wie gut schmeckte mir alles, Ben Gunns gesalzenes Ziegenfleisch, dazu einige Leckerbissen und eine Flasche alten Weines von der *Hispaniola!* Ich bin überzeugt, dass es nie glücklichere oder frohere Menschen gegeben hat. Ganz im Hintergrund und vom Feuer nur wenig beschienen saß Silver, der einen recht gesegneten Appetit entwickelte. Dienstbeflissen sprang er auf, wenn etwas verlangt wurde. Ja, selbst an unserer Heiterkeit nahm er teil – wieder ganz der sanfte, höfliche, dienstbeflissene Seemann wie bei unserer Ausreise.

34

Am nächsten Morgen gingen wir schon früh an die Arbeit. Es war für eine so kleine Zahl von Leuten eine schwere Aufgabe, diese Unmenge Gold fast eine Meile weit zu Land bis an die Bucht und von dort drei Meilen weit zu Wasser bis zu der *Hispaniola* zu befördern. Die drei Seeräuber, die sich noch auf der Insel befanden, störten uns nicht sonderlich. Ein einziger Posten auf dem Gipfel des Hügels genügte, um uns gegen jeden plötzlichen Überfall zu schützen. Zudem hatten sie unserer Meinung nach alle Lust am Blutvergießen verloren.

Die Arbeit ging flott voran. Gray und Ben Gunn fuhren mit einer Ladung des Schatzes nach der anderen vom Land zum Schiff, während die übrigen inzwischen das Gold an der Küste aufstapelten. Zwei fest zusammengebundene Barren waren gerade so viel, wie ein erwachsener Mann langsam zu tragen vermochte. Da meine Kräfte dafür nicht ausreichten, blieb ich den ganzen Tag in der Höhle und packte das gemünzte Gold in unsere leeren Brotsäcke. Es war eine bunte Münzensammlung wie in Billy Bones' Seemannskiste, jedoch unendlich größer und reichhaltiger. Das Sortieren der Münzen bereitete mir das größte Vergnügen. Da gab es englische, französische, spanische und portugiesische Münzen mit den Bildern aller europäischen Könige, die während des letzten Jahrhunderts auf dem Thron gesessen waren, seltsame orientalische Münzen mit Inschriften, deren krause Züge an Spinnengewebe erinnerten, runde und viereckige Stücke, und andere, die in der Mitte durchbohrt waren, wie

ROBERT L. STEVENSON

um sie an einer Kette um den Hals zu tragen – fast jede Münzengattung war in dieser Sammlung vertreten. Mein Rücken tat mir von dem vielen Bücken weh und meine Finger schmerzten von dem anstrengenden Sortieren. Tag für Tag dauerte die Arbeit fort. An jedem Abend war ein Vermögen an Bord geschafft worden, ein neues aber harrte wiederum des nächsten Morgens. Und all diese Zeit hörten wir nichts von den am Leben gebliebenen Meuterern.

Schließlich – es war am dritten Abend – als der Doktor und ich auf dem Abhang des Hügels spazieren gingen, der an das Flachland der Insel grenzte, trug uns der Wind aus der tiefen Dunkelheit unter uns ein Geräusch, halb Schreien und halb Singen, herüber. Wir hörten es nur einen Augenblick, dann trat das frühere Schweigen wieder ein.

»Der Himmel vergebe ihnen«, sagte der Doktor, »es sind die Meuterer!«

»Alle schwer betrunken, Sir«, gab Silver hinter uns sein sachkundiges Urteil ab.

Silver erfreute sich unbeschränkter Freiheit. Ungeachtet all der Kränkungen, denen er täglich ausgesetzt war, fühlte er sich wiederum als ein bevorzugtes, verlässliches Mitglied unserer Gesellschaft. Es war wirklich merkwürdig, wie er die offen gegen ihn an den Tag gelegte Verachtung hinnahm und mit welcher nie ermüdenden Höflichkeit er sich bei allen wieder einzuschmeicheln versuchte. Keiner behandelte ihn viel besser als einen Hund. Nur Ben Gunn fürchtete sich noch immer ein wenig vor ihm. Ich schuldete ihm wirklich Dank, obwohl ich ihn auf dem

Plateau einen neuen Verrat hatte planen sehen. Der Doktor antwortete ihm darum nur ziemlich schroff.

»Betrunken oder verrückt«, sagte er.

»Sie haben ganz recht, Sir«, entgegnete Silver, »das kann Ihnen aber sowohl wie mir ziemlich einerlei sein.«

»Ihr werdet kaum von mir erwarten, dass ich Euch einen menschenfreundlichen Mann nenne«, antwortete der Doktor spöttisch, »und meine Gefühle mögen Euch daher überraschen, Master Silver. Wäre ich aber überzeugt, dass sie geistesgestört sind – so wie ich sicher bin, dass einer im Fieber darniederliegt –, so würde ich das Lager hier verlassen und ihnen als Arzt helfen, wie groß dabei auch die Gefahr für mich selber wäre.«

»Bitte um Verzeihung, Sir«, sagte Silver, »da würden Sie sehr unrecht tun. Sie würden höchstens Ihr eigenes wertvolles Leben verlieren, darauf können Sie sich verlassen. Ich stehe jetzt mit Haut und Haar auf Ihrer Seite und möchte die Partei darum nicht geschwächt sehen. Von dem persönlichen Dank, den ich Ihnen schulde, will ich ganz schweigen. Die Männer dort unten aber könnten nicht ihr Wort halten, selbst wenn sie wollten. Was noch schwerer ins Gewicht fällt, sie glauben nicht, dass Sie es können.«

»Nein«, sagte der Doktor, »Ihr seid ja der Mann, der sein Wort hält, wir wissen das.«

Das war so ziemlich das Letzte, was wir von den Piraten vernahmen. Nur einmal noch hörten wir in großer Entfernung einen Flintenschuss fallen und nahmen an, dass sie auf der Jagd waren. Wir hielten eine Beratung ab und fassten den Beschluss, sie auf der Insel zurückzulassen – zur größten Freude Ben Gunns und Grays voller Zustimmung, wie ich bemerken muss. Wir ließen aber einen guten Vorrat an Pulver und Kugeln für sie zurück, den größeren Teil unseres eingesalzenen Ziegenfleisches, einige Arzneien und einige der unentbehrlichsten Gebrauchsgegenstände wie Werkzeug, Kleider, ein Reservesegel, einige Stricke und, auf den ausdrücklichen Wunsch des Doktors, ein ansehnliches Geschenk an Tabak.

Das war unsere letzte Handlung auf der Insel. Wir hatten den Schatz sicher verstaut und genügend Trinkwasser und einen kleinen Teil des eingesalzenen Ziegenfleisches an Bord gebracht. Eines Morgens lichteten wir den Anker, was beinahe über unsere Kräfte ging. Unter derselben Flagge, die der Kapitän im Blockhaus aufgezogen und verteidigt hatte, steuerten wir aus der Nordbucht hinaus.

Die drei Piraten mussten uns besser beobachtet haben, als wir dachten. Als wir in die Meerenge einbogen und uns der Südseite näherten, sahen wir alle drei zusammen auf einer Landzunge knien und beschwörend ihre Arme in die Höhe heben. Ich glaube, es ging uns allen sehr nahe, sie in ihrer hilflosen Lage zurückzulassen; wir durften uns aber nicht der Gefahr einer zweiten Meuterei aussetzen. Und sie nach der Heimat mitzunehmen, nur um sie an den Galgen zu liefern, schien uns eine grausame Art von Güte zu sein. Der Doktor rief sie darum an und teilte ihnen mit, wo wir Lebensmittel und Vorräte für sie zurückgelassen hatten. Sie fuhren aber fort unsere Namen zu rufen und uns zu beschwören, barmherzig zu sein und sie nicht an einem so schrecklichen Platz umkommen zu lassen.

Als sie sahen, dass das Schiff seine Fahrt fortsetzte und

bald aus ihrer Rufweite sein würde, sprang einer von ihnen – wer es war, weiß ich nicht – mit einem heiseren Schrei auf. Er riss sein Gewehr an die Schulter und gab einen Schuss ab, der über Silvers Kopf durch das Großsegel drang.

Wir suchten hinter der Schiffsbrüstung Deckung. Als ich wieder über die Reling des Schiffes blickte, waren die Piraten von der Landzunge verschwunden und die Landzunge selbst in der immer mehr zunehmenden Entfernung kaum mehr am Horizont zu sehen. Noch vor Mittag war zu meiner unbeschreiblichen Freude der höchste Felsen der Schatzinsel im blauen Rund der See versunken.

Wir waren so knapp an Leuten, dass jedermann an Bord mit Hand anlegen musste. Der Kapitän lag vorsorglich auf eine Matratze gebettet auf dem Hinterdeck und gab die notwendigen Befehle. Er hatte sich schon gut erholt, brauchte aber noch Ruhe. Wir schlugen den Kurs nach dem nächsten Hafen in Südamerika ein, da wir die Heimreise nicht ohne neue Matrosen wagen durften. Als wir unser Ziel endlich erreichten, waren wir durch Gegenwind und ein paar heftige Stürme ganz erschöpft.

Die Sonne war im Untergehen, als wir in einem Hafen vor Anker gingen. Sofort umringten uns Boote, deren Insassen, Schwarze, mexikanische Indianer und Mestizen, Obst und Gemüse verkauften und nach kleinen Geldstücken tauchen wollten. Der Anblick so vieler gutmütiger Gesichter, die herrlichen tropischen Früchte und vor allem die von der Stadt zu uns herüberglänzenden Lichter bildeten einen wunderbaren Gegensatz zu unserem dunklen, blutigen Aufenthalt auf der Insel. Der Doktor und der Squire wollten den Abend an Land verbringen und nahmen mich mit. Wir begegneten dem Kapitän eines englischen Schiffes und verlebten dort eine so angenehme Zeit, dass schon der Morgen graute, als wir wieder zur *Hispaniola* aufbrachen.

Ben Gunn war allein an Deck und legte uns, sobald wir an Bord gekommen waren, in einem krausen Redeschwall ein Geständnis ab. Silver war geflohen. Ben hatte ihm einige Stunden zuvor zur Flucht verholfen. Er versicherte uns jetzt, dass er es nur getan habe, um uns das Leben zu retten. Sicherlich wären wir verloren gewesen, wenn wir den Mann mit der Krücke an Bord behalten hätten. Das war aber noch nicht alles. Der Schiffskoch hatte uns nicht mit leeren Händen verlassen. Er hatte unbeachtet im Schiffsraum ein Brett durchgesägt und einen der Geldsäcke, in dem sich vielleicht drei- oder vierhundert Guineen befanden, für seine weiteren Irrfahrten mitgehen lassen. Ich glaube, wir waren alle froh, ihn auf so billige Weise losgeworden zu sein.

Wir nahmen einige Matrosen an Bord, hatten eine gute Heimreise und trafen in Bristol ein, als Mr Blandly gerade an die Ausrüstung des Schwesterschiffes gehen wollte. Von der ursprünglichen Besatzung der *Hispaniola* kehrten nur fünf Mann wieder heim. »Schnaps und Teufel holten die andern«, obwohl es in unserem Fall nicht ganz so schlimm wie bei jenem Schiff war, von dem unsere Piraten sangen:

»Es fuhren auf See fünfundsiebzig hinaus,
Nur einer allein kam von allen nach Haus!«

Jeder von uns bekam einen reichen Anteil vom Schatz und verwendete ihn, je nach seiner Veranlagung, weise oder töricht. Kapitän Smollett hat sich vom Seedienst zurückgezogen. Gray sparte nicht nur sein Geld, sondern besuchte, von plötzlichem Ehrgeiz gepackt, eine Seemannsschule und ist jetzt Steuermann und Miteigentümer eines schönen Vollschiffes, dazu verheiratet und glücklicher Familienvater. Ben Gunn erhielt tausend Pfund, die er in drei Wochen oder, um genauer zu sein, in neunzehn Tagen verschwendete oder verlor. Am zwanzigsten stellte er sich schon wieder bettelnd bei uns ein. Er bekam die Pförtnerstelle, genau wie er es auf der Insel befürchtet hatte.

Er lebt noch immer und ist bei der Dorfjugend sehr beliebt, wenn sie sich auch gelegentlich über ihn lustig macht.

Von Silver haben wir nie wieder etwas gehört. Dieser entsetzliche Seemann mit seiner Krücke ist ganz aus meinem Leben verschwunden; wahrscheinlich hat er seine alte Kratzbürste wieder getroffen und führt vielleicht mit ihr und Kapitän Flint, dem Papagei, ein angenehmes Dasein.

Das Barrensilber und die Waffen liegen, soviel ich weiß, noch an der Stelle, wo Flint sie vergraben hat. Dort sollen sie, wenigstens soweit es von mir abhängt, bis in alle Ewigkeit liegen bleiben. Um keinen Preis der Welt würde ich auf jene verwünschte Insel zurückkehren. Es sind meine schlimmsten Träume, wenn ich die Brandung gegen ihre Küste tosen höre und jäh im Bett auffahre, weil Kapitän Flint mir mit seiner scharfen Stimme in die Ohren krächzt: »Goldene Escudos! Goldene Escudos!«